Les critiques de notre temps et MALRAUX

Éditions **Garnier** Frères
6, rue des Saints-Pères, Paris

Les critiques
de notre temps
et
MALRAUX

présentation par
Pol Gaillard

Maître-Assistant à la Faculté
des Lettres de Paris X.

Marcel Arland
André Bazin
Emmanuel Berl
Rachel Bespaloff
Pierre de Boisdeffre
Claude Bonnefoy
Robert Brasillach
André Breton
André et Jean Brincourt
Léon Brunschvicg
Roger Caillois
Pierre Drieu La Rochelle
Ilya Ehrenbourg
Etiemble
Georges Friedmann
André Gide
Louis Gillet
Lucien Goldmann
Jean Grenier
Jean Guéhenno
Joseph Hoffmann

Roger Ikor
Edmond Jaloux
Pierre Juquin
René Lalou
Jean Lescure
Jacques Madaule
Claude-Edmonde Magny
Gabriel Marcel
François Mauriac
Henry de Montherlant
Georges Mounin
Pascal Pia
Gaëtan Picon
Georges Pompidou
André Rousseaux
Claude Roy
Jean-Paul Sartre
Jean Schlumberger
Pierre-Henri Simon
Roger Stéphane
Léon Trotsky

Comme Bernanos, comme Valéry, mais au rebours de Claudel, — ou de Racine! — Malraux se refuse, comme auteur, à prendre position publique sur les jugements divers que peut inspirer son œuvre. Il a répondu à Trotsky autrefois, à Brasillach, à ses collègues de l'Union pour la Vérité; il a ajouté à la deuxième grande étude sur lui de Gaëtan Picon quelques précisions, réserves et commentaires de très grand intérêt. Mais il estime depuis des années que, une fois lancée à la mer, *l'œuvre d'un écrivain appartient à ceux qui l'étudient;* l'auteur n'a plus qu'à s'effacer. C'est un peu comme pour les portraits, dit-il, *au sujet desquels le modèle fait mieux de se taire,* quel que soit l'intérêt, — ou l'étonnement — que lui inspire le tableau. Un poème, un film, un roman deviennent l'objet propre de tous ceux qu'ils touchent et par lesquels ils gardent une existence réellement vivante, accèdent au domaine infini des métamorphoses... Lorsqu'une œuvre ne suscite plus aucune autre réaction que les mêmes phrases toutes faites dans les manuels de littérature ou d'histoire de l'art, elle est morte.

Ce qui ne signifie pas, certes, que toutes les réactions soient justes, même si elles sont sincères. On peut prendre d'une même statue des photographies innombrables, chacune à une distance et sous un angle différents, avec une lentille différente. Toutes sont « vraies » en un sens, on peut même dire instructives. Mais certaines renseignent davantage sur les caractéristiques de la lentille ou le tempérament particulier du photographe que sur la statue!

Ainsi pour plusieurs textes de notre recueil. Celui-ci, croyons-nous, ne devait écarter systématiquement aucun point de vue, même parmi les plus partiaux. Si personnelle qu'elle soit, et en même temps si générale, peinture de la condition tragique des hommes d'où jaillit et rejaillit pourtant sans cesse leur espérance opiniâtre, leur volonté de découvrir et de créer, l'œuvre de Malraux a épousé trop étroitement les drames de notre siècle pour que la simple succession des jugements qu'elle a suscités ne constitue pas, si on pouvait la donner en son entier, un tableau historique et social de premier ordre.

Mais comment assurer cette publication intégrale? Trois mille pages n'auraient pas suffi, même en se bornant au domaine français. D'autre part, de nombreux critiques qui se sont contredits au sujet de Malraux ne souhaitent guère, aujourd'hui, que soient reproduits leurs textes anciens. Il fallait donc nous borner à une sélection. Disons très simplement que nous n'avons suivi, pour la faire, aucun principe dogmatique. Nous avons seulement essayé qu'elle soit le plus *éclairante* possible, choisissant volontairement les passages les plus précis, les plus forts, ceux qui s'efforçaient vraiment d'expliquer la réaction à l'œuvre par l'œuvre même, et, par là, qui invitaient le plus à la relire. La bonne critique littéraire, comme Antée, ne garde sa vigueur que si elle revient sans cesse au texte.

Nous avons été obligés de citer, bien sûr, plusieurs textes où sont attribuées à Malraux telles ou telles phrases de ses personnages qui ne correspondent pas forcément à sa pensée, — « manœuvre particulière au calomniateur », dit sévèrement Balzac, — mais nous n'avons pas cru devoir nous permettre à ce sujet ni à d'autres aucune note rectificative. Les grandes œuvres de Malraux sont accessibles à tous [1]; chacun pourra faire lui-même, facilement, tous les contrôles utiles...

Enfin, chaque fois que la place nous l'a permis une fois satisfaite l'objectivité historique, nous avons laissé parler un peu plus longuement ceux que j'appellerai les critiques d'admiration, ceux qui n'écrivent sur une œuvre que parce qu'ils sont en communion avec elle. *On ne possède que ce qu'on aime,* dit Malraux dans *La Voie royale.* Lui-même il n'a guère parlé que des auteurs qu'il estimait et qu'il aimait : T. E. Lawrence, D. H. Lawrence, Laclos, Saint-Just, Dostoïevski, Hugo, Bernanos, Sperber, pour ne nommer ici que des écrivains... Ce travail nous l'a fait découvrir une fois de plus : il est difficile d'être lucide dans le dédain. La critique exige non seulement le respect des textes, mais la ferveur.

---

1. Sauf *Le Temps du mépris* et *Les Noyers de l'Altenburg,* — mais des extraits importants en figurent dans les *Scènes choisies* (par Malraux lui-même) et dans *Antimémoires.*

L'ÉVOLUTION DE MALRAUX
ET L'ÉVOLUTION DE LA CRITIQUE
A L'ÉGARD DE MALRAUX

Il est relativement facile, aujourd'hui, de saisir l'unité profonde de l'œuvre de Malraux. Tous ses livres, et toute sa vie, procèdent de la même exigence (fondée sur une prise de conscience tragique) : dominer *la condition humaine* au lieu de la subir, « fonder notre grandeur » et notre *espoir,* « sans religion, sur le néant qui nous écrase » ouvrir à l'homme, malgré la mort, toutes les possibilités d'un destin à sa mesure, perpétuellement à découvrir et à *conquérir.*

Mais si le titre même des œuvres et les dernières pages des *Voix du silence* comme de *l'Espoir* révèlent cette ambition unique à tous ceux qui ont des yeux pour lire, il faut bien reconnaître que la plupart des critiques ne l'ont pas aperçue tout de suite, — et qu'ils y avaient certaines excuses... *Les Conquérants* ont éclaté comme un coup de tonnerre. Les plus perspicaces ont compris aussitôt qu'un nouvel écrivain, un nouveau roman, venait de naître, et plus encore peut-être un nouveau type de héros, « *en qui s'unissaient l'aptitude à l'action, la culture et la lucidité* ». Mais précisément la plupart de ces héros, aventuriers ou politiques, s'engageaient si complètement, comme leur créateur, dans des *actions* et dans des luttes réelles (à Canton, à Shanghaï, en Allemagne, en Espagne, en France) que l'intérêt se portait d'abord, de façon somme toute naturelle, sur ces actions elles-mêmes, sur les engagements de Malraux et de Garine, de Kyo, de Kassner, de Magnin, de Garcia, du capitaine et du colonel Berger. A juste titre, l'action qui est toujours manichéenne, au moment de l'action, l'emportait.

Or les choix des personnages de Malraux étaient très clairs, et toujours dans le même sens : ils étaient contre l'écrasement de l'homme, par l'*état social* comme par l'univers. Même un Garine, quoi qu'il dise, ne saurait

se lier à « une grande cause quelconque »; il se ment
à lui-même (Malraux le note) lorsqu'il caresse dans sa
maladie l'idée d'aller servir l'Angleterre impérialiste,
plus tard, comme il a servi la révolution chinoise; il ne
peut lutter qu'avec des gens qui *se libèrent*... À plus
forte raison, Kyo ou Garcia.

Mais il était évident aussi que ni Garine, ni Kyo, ni
Garcia, si forte que pût être leur exigence d'efficacité
ou l'attachement à leurs frères d'armes, ne pouvaient
être à aucun degré des « inconditionnels » de quelque
régime ou révolution que ce fût, ou des croyants can-
dides aux lendemains qui chantent. On ne peut pas
les imaginer *aliénés,* ni par Franco ni par Staline.

Dès lors, les jugements à l'égard de Malraux dans la
période de l'entre-deux-guerres se répartissent naturellement en trois grandes tendances.

Fasciste ou conservatrice, la droite se déchaîne contre
Malraux et elle dénonce en lui tous les vices : l'égoïsme
érotique, la révolte aventurière, « l'anarchisme total »,
mais en même temps le cynisme oppressant des communistes fanatisés, la passion de la violence, le goût du
sang, l'irréligion blasphématoire, etc., etc. Ne donnons
que quelques exemples. L'abbé Bethléem, lorsque *La
Condition humaine* reçoit le prix Goncourt, supplie ses
lecteurs, dans *La Croix,* « d'éviter à tout prix ce poison,
...ce roman communiste et fangeux... qui étale une boue
infecte, une boue d'Orient à laquelle les boues de nos
climats viennent apporter leurs relents affreux. Le livre
ne nous épargne aucune abomination, continue-t-il ; et
celles qu'on pourrait suggérer d'un mot, il se plaît à
en détailler longuement, voluptueusement l'ignominie.
Ah! quelle horreur, et quel ennui!... Il faut faire en
sorte d'en préserver toutes les personnes soucieuses de
leur dignité chrétienne et de leur santé morale... » En
1938, *La Revue catholique des Faits et des Idées* imprime
froidement à propos de *L'Espoir* (sans signature) :
« J'oubliais d'ajouter que pour André Malraux un des
moyens les plus efficaces d'arriver à ce stade de la
fraternisation est le massacre en masse des otages et
des religieuses, des chiens franquistes et des mangeurs
d'hosties. » L'article du *Mercure de France* est peut-être
plus violent encore, et plus perfide. Passons.

Naturellement les plus avisés saluent au moins le

courage, la grandeur — et la qualité littéraire. Robert Brasillach, habilement, tire de *L'Espoir* pour *L'Action française* les preuves multiples des faiblesses républicaines (que tout le livre dénonce, montrant comment les combattre); mais il publie dans *Je suis partout,* dont il est le rédacteur en chef, un article de Gabriel Brunet qui est un compte rendu véritable du livre, critique certes mais intelligent et élogieux... Le Père Jean de Pontcharra, qui fait pourtant, emporté par sa passion, un contresens énorme sur l'une des phrases de *L'Espoir,* estime que Malraux se rapproche, par le chemin étrange de la révolution, d'un certain nombre de valeurs chrétiennes... Quant à Drieu La Rochelle, il a tenu à saluer en Malraux, dès 1930, le représentant de la plus grande à coup sûr des Internationales, l'*Internationale de l'Humain.* Ce n'était pas si mal trouvé.

À l'autre extrême, les communistes, eux, sont d'abord fort réservés. Ils sentent bien que Malraux n'est pas vraiment des leurs; lui-même ne manifeste aucun désir d'entrer au Parti, et *Les Conquérants* sont interdits en Russie soviétique comme en Italie fasciste (c'est même ainsi que Grasset fait la publicité du livre)... Mais les communistes n'ignorent pas non plus que l'œuvre de Malraux leur vaut un grand nombre d'adhésions de jeunes, qu'elle est nettement anticapitaliste, et qu'elle rompt leur isolement. Lorsque *La Condition humaine* triomphe, *L'Humanité* se contente prudemment de marquer un point : « Il y a un fait qui ne peut être nié : la bourgeoisie, voulant consacrer une œuvre littéraire, n'a pu trouver personne d'autre qu'un homme dont la voix ne peut actuellement lui être comptée, un homme qui salue l'armée rouge et la construction du socialisme contre elle. À ce point de vue le vote des Goncourt est un signe des temps. »

Cependant, la situation politique évolue très vite. Hitler est arrivé au pouvoir, porté par les fautes de ses ennemis au moins autant que par ses talents propres. L'union antifasciste s'impose enfin, les communistes adoptent la tactique du Front populaire. Gide et Malraux vont porter à Berlin la protestation des écrivains du monde entier contre la détention de Dimitrov, innocent de l'incendie du Reichstag. Malraux suscite bien quelques mouvements divers lorsqu'il proclame dans les grandes réunions d'intellectuels, à Moscou aussi bien qu'à Londres et à Paris, « la logique particulière de *l'art* », — qu'on stériliserait en voulant le diriger, en le soumettant aux masses ou à ceux qui parlent en leur nom. Mais on le laisse envisager, avec Eisenstein et Chostakovitch comme avec Meyerhold et Prokofiev, une adaptation cinématographique et une adaptation théâtrale de *La Condition humaine*... Il n'en reste pas moins que Paul Nizan à peu près seul, à l'extrême gauche, célèbre *Le Temps du mépris* (dans l'hebdomadaire d'Henri Barbusse). *L'Humanité* publie en 1938 un article de ton extrêmement juste sur *L'Espoir* (le meilleur sans doute de toute la presse française avec celui de René Lalou dans *Les Nouvelles littéraires*), mais il est signé Georges Friedmann — qui ne demeurera pas au Parti.

Au centre et à gauche, les jugements sont naturellement beaucoup plus divers. Marc Bernard a essayé de distinguer, dans un article très intéressant de *La Revue de l'Institut de Sociologie Solvay*, « le courant du Centre Littéraire », « le courant du Centre Gauche Humaniste », « le Courant de l'Humanisme Chrétien », « le Courant de la Gauche modérée ». Avouons que cette classification, en pareil domaine, nous apparaît un peu factice. L'intelligence et le goût particuliers de chaque chroniqueur nuancent beaucoup, heureusement, les options idéologiques. Si Robert Kemp et Albert Thibaudet voient surtout en Malraux un peintre puissant de l'exotisme, « le Delacroix du roman d'aventures », dit Robert Kemp ; si André Thérive et André Billy, de même, admirent principalement dans *L'Espoir* « un pittoresque infini, un bariolage d'horreurs et d'étrangetés qui doivent réveiller Mérimée dans sa tombe », « une peinture extraordinaire de la réalité en mouvement, un style précis, crépitant, où abondent les formules denses et brèves », beaucoup d'autres critiques abordent résolument quelques-unes des grandes questions posées. Léon Brunschvicg demande : quelle est la solution la plus sûre (au moins dans les pays occidentaux), celle qui a le plus de chances en fait de permettre le plus vite les plus grands progrès sans risques mortels pour la liberté, le réformisme ou la révolution ? Gabriel Marcel écrit en 1933 : « L'amitié de Malraux pour un communisme militant me laisse prévoir l'insurmontable dégoût que lui inspirerait le même communisme triomphant et universalisé »... Rachel Bespaloff, dans un excellent chapitre de *Cheminements et Carrefours* intitulé modestement *Notes sur Malraux,* publie en fait la première étude générale sur l'œuvre, elle y marque l'importance essentielle, pour l'auteur, du courage, de l'amour, de la musique... Les écrivains enfin, Marcel Arland, Edmond Jaloux, Jean Guéhenno, Henry de Montherlant, François Mauriac, sans rien altérer de leur personnalité propre, proclament et expliquent leur admiration profonde pour l'œuvre et pour l'homme. En 1939, Malraux est déjà reconnu secrètement ou publiquement, par toute l'opinion critique éclairée, comme l'un des plus grands romanciers français.

Pendant l'occupation, les œuvres de Malraux disparaissent des vitrines, et il ne peut ni ne veut rien publier en France, bien entendu. La première partie de *La Lutte avec l'Ange* est imprimée en Suisse mais toute la suite et la plupart des manuscrits de Malraux sont détruits par la Gestapo lorsqu'elle pille sa bibliothèque. Malraux, qui a échappé d'extrême justesse en juillet 1944 à la torture et à la mort, réapparaît au grand jour, à la Libération, comme chef de quinze cents maquisards du Sud-Est, puis comme commandant de la Brigade Alsace-Lorraine. Il n'a donc pas changé, semble-t-il ; il est toujours au premier rang des combats essentiels !... En janvier 1945 pourtant, au Congrès du Mouvement de Libération Nationale, revenu de l'armée pour quelques jours, il contribue à faire écarter, contre d'Astier de la Vigerie, la fusion de ce mouvement avec le Front national, dirigé pratiquement par les communistes. Beaucoup sont stupéfaits.

Tant que Hitler n'est pas définitivement écrasé, Malraux reste discret, comme autrefois en Espagne lorsqu'il acceptait de garder le silence sur les procès de Moscou pour ne pas compromettre l'union des républicains, lorsqu'il conseillait à Gide de ne pas publier tout de suite son *Retour de l'U.R.S.S.*... Mais l'Allemagne est bientôt occupée en entier, le Japon capitule ; Malraux prend position avec netteté. Le péril mortel désormais pour lui, c'est le stalinisme, — qui occupe la moitié de l'Europe et menace la liberté de tous : « *Nous ne combattions pas*, dira-t-il, *pour remplacer le capitalisme par ce quatrième pouvoir qu'est devenue la police d'État... L'idéologie socialiste n'a jamais, que je sache, envoyé la justice à la poubelle* » et, tandis que la guerre froide s'installe sur le monde, que les procès commencent dans les démocraties populaires (d'abord contre les non-communistes), Malraux applique pour sa nouvelle lutte comme pour celle d'Espagne les principes de Garcia : « *L'action ne se pense qu'en termes d'action. Il n'y a de pensée politique que dans la comparaison d'une chose concrète avec une autre chose concrète, d'une possibilité avec une autre possibilité...* » Or, la seule possibilité en France, à ses yeux, d'une politique de progrès qui ne favorise pas l'installation du stalinisme, c'est le gaullisme. Il choisit donc le gaullisme.

Mauriac va jusqu'à écrire dans *Le Figaro,* avec sa franchise habituelle :

« Barrès à vingt-cinq ans, député boulangiste de Nancy, en était réduit à suivre un cheval noir, une barbe blonde, un uniforme. Malraux, dans la force de l'âge, s'attache à un chef qu'il croit capable non seulement de changer le destin français, mais surtout de contrecarrer en Europe les desseins de Staline.

Car c'est contre le formidable Staline qu'il mène sa partie, ce David sans âge. Il se bat contre Staline beaucoup plus qu'il ne se bat pour de Gaulle. Dirai-je le fond de ma pensée? Je crois à André Malraux assez de superbe pour qu'il considère Charles de Gaulle comme une carte de son propre jeu. »

Les choses sont probablement moins simples. Malraux admire profondément de Gaulle, et il a compris pendant l'occupation, lorsqu'il méditait sur les échecs de Lawrence d'Arabie et sur ses propres expériences, qu'*on ne construit pas la nation des autres.* Il a *épousé,* dans les maquis, la résistance française. Il devient comme Garine, comme Berger, le délégué à la propagande d'un grand mouvement, mais dans sa propre patrie. C'est là, et là seulement, pense-t-il, qu'il peut agir pour lui-même et pour les autres, essayer de dominer le destin.

Alors les deux extrêmes de la critique, littéralement, se retournent. C'est le Parti communiste maintenant qui exprime pour **Malraux** le mépris et le dégoût que ressentait jadis l'abbé Bethléem. Il faut mettre en garde tous les lecteurs de Malraux. Roger Garaudy publie aux Éditions sociales un pamphlet dont le titre suffit à indiquer le ton : *Une littérature de fossoyeurs* [1]. Même *Le Temps du mépris* lui est reproché, même *L'Espoir*, dont les grandes thèses sont ignorées systématiquement! « L'œuvre de Malraux, écrit Garaudy, nous donne un saisissant portrait de l'homme mort dont il est le porte-parole... La révolution n'est pas pour lui la solution d'un problème, elle est occasion de gestes lyriques. » Il prend « la multitude comme marchepied », comme disait Blanqui... C'est « un dieu du chaos, ...le Maurras du désordre ». Injure suprême : Trotsky est son « père spirituel ».

Et *La Croix* en sens inverse, tout en demeurant quelque peu réservée, imprime dans l'un de ses édi-toriaux sous le titre *Pour sauver l'homme :* « La confé-rence d'André Malraux [celle de décembre 1946 à la Sorbonne] marquera une étape importante de la pensée contemporaine... en posant loyalement le problème de l'homme... Ivre de ses découvertes, le XIXe siècle sub-stituait la science, jugée toute-puissante, à la méta-physique... Malraux se méfie avec raison de l'optimisme sur le progrès... » Bref, l'éditorialiste de *La Croix* s'avise tout à coup que Malraux s'est intéressé aux grands problèmes de la condition humaine, et il lui suggère la seule réponse possible à ses yeux : « Il s'agit de restituer Dieu à l'homme désemparé de ce temps... »

Ici encore heureusement, d'autres critiques des deux bords, engagés ou non, Georges Mounin, Claude Roy, André Rousseaux, étudient réellement l'œuvre elle-même, et s'interrogent, pour réviser éventuellement leurs jugements antérieurs. Georges Mounin croit consta-ter entre *La Lutte avec l'Ange* et les romans qui précèdent une nette rupture : « Tout ce dont Malraux semblait s'être délivré, angoisse au regard du destin de l'homme, absurdité du monde, obsession de la mort, fait irrup-tion dans son œuvre de nouveau... Dans *Les Noyers de l'Altenburg* Pascal a repris nommément possession de

---

1. Les autres « fossoyeurs » sont Mauriac, Sartre et Koestler. Chacun sait que Roger Garaudy, aujourd'hui, en est venu à des jugements assez différents.

Malraux tout entier. » Un Pascal sans la foi, est-on obligé de répondre, un Pascal qui titrerait une partie de ses *Pensées* « Grandeur possible de l'homme *sans* Dieu » et refuserait de démissionner du monde, acceptant les responsabilités d'un poste d'État. Cela fait tout de même de sérieuses différences...

Claude Roy, pour sa part, constate franchement « qu'il n'est pas une ligne de Malraux, pas un mot de lui, qui puisse fonder doctrinalement une prise de position néofasciste ». Il déplore l'évolution de Malraux, mais il s'étonne : « Malraux reste indéchiffrable », dit-il... *Esprit* publie un numéro spécial très dense intitulé « Interrogation à Malraux ». On peut y lire en particulier, de Claude-Edmonde Magny et d'Emmanuel Mounier, deux études qui feront date. Mounier propose même un terme inédit pour qualifier les personnages des romans de Malraux. Ce ne sont pas des héros métaphysiciens, dit-il, il faudrait dire *métapracticiens;* ils entendent en effet (avec Pascal!) que *l'homme dépasse l'homme,* mais sans recours à aucune illusion : ce sont des explorateurs de l'inconnu par les voies du réel... Un premier grand travail de Gaëtan Picon, paru chez Gallimard presque aussitôt après la Libération, a donné le signal d'études approfondies, qui tiennent compte de toutes les tendances de l'œuvre.

De Gaulle et Malraux s'étaient quelque peu trompés sur les faiblesses véritables de la IVe République. Celle-ci résiste davantage qu'ils n'auraient cru, au communisme comme au gaullisme ; elle ne succombe même pas à la guerre d'Indochine. Le R.P.F. d'ailleurs est submergé par ses électeurs de droite, et Malraux s'en désintéresse. Il se donne bientôt exclusivement à ses grands livres sur l'art, auxquels il travaillait depuis 1935.

Nouvelles difficultés pour les critiques! Tous ou presque reconnaissent la splendeur du style, mais beaucoup, semble-t-il, devraient déclarer en tête de leurs comptes rendus, avec la simplicité méritoire de Roger Stéphane : « Eh bien, je déclare forfait, je ne me sens pas suffisamment qualifié. » L'information de Malraux, en effet, est prodigieuse, et la simple discussion historique de ce qu'il rapporte exigerait le savoir de vingt spécialistes. De plus, comme l'indique fort bien Gaëtan Picon, tous ces volumes « relèvent à la fois de la pensée vraie et de l'obsession créatrice... Nulle part la conception de l'art ne se résume en un système définitif, la pensée ne pouvant jamais se dégager du mouvement et de l'enthousiasme de la recherche... Nous sommes en présence de visions partielles — c'est-à-dire passionnées... On devine la dialectique des perspectives ; mais la développer ce serait véritablement clore la recherche. Malraux préfère la continuer... » Enfin Malraux use trop souvent, dans *Les Voix du silence, Saturne, La Métamorphose des Dieux,* d'un vocabulaire religieux qu'il déclare lui-même irritant, mais qu'il continue toutefois d'employer, disant qu'il n'y en a point d'autre. Certaines de ses formules, isolées, sont tellement ambiguës que les croyants effectivement ont pu reprendre espoir. Pierre de Boisdeffre, par exemple, reconnaît avoir pensé un moment que la dernière découverte de Malraux serait celle du Sacré... Cependant, pour qui étudie l'œuvre dans son ensemble, la philosophie générale demeure à l'évidence inchangée. L'art pour Malraux est un antidestin — comme l'héroïsme, comme la science, comme toutes les grandes explorations de l'inconnu, comme les révolutions libératrices et fraternelles ; c'est le plus haut moyen de l'homme, lorsque les conditions élémentaires de la dignité ont été conquises, de se dépasser lui-même, sans violence, en appelant la communion avec chacun dans une création inlassable.

Malraux revient au pouvoir avec de Gaulle en 1958 lorsque la IVe République se révèle décidément incapable d'assurer la décolonisation. Aussi soucieux qu'autrefois, lui responsable, de ne rien dire jamais qui puisse gêner l'action du mouvement ou du gouvernement dont il fait partie tant qu'il en fait partie, Malraux est bien entendu, de nouveau, extrêmement attaqué par beaucoup pendant toute cette période, — et dans sa vie même ; il n'échappe que par hasard à un grave attentat de l'O.A.S. en 1962. Mais les attaques cette fois portent beaucoup moins sur l'œuvre elle-même, qui s'est définitivement imposée. On la lit de plus en plus, on la publie en éditions scolaires (l'une d'entre elles est signée Georges Pompidou), on l'étudie dans les Facultés, on la discute passionnément, mais il n'est plus contestable désormais qu'elle existe de cette vie étrange des chefs-d'œuvre, capables de faire réfléchir et de faire rêver — différemment —, des centaines de milliers d'hommes.

Les passions de la critique s'apaisent, alors même que Malraux demeure ministre. Le premier tome des *Antimémoires,* qui rassemble tous ses thèmes de prédilection en une symphonie prestigieuse, est salué immédiatement comme l'œuvre d'un maître, même si le livre ne suscite d'abord que des analyses trop rapides. *Sierra de Teruel* reparaît sur les écrans, inachevé, mutilé comme en 1938, mais aussi jeune, aussi beau, aussi poignant. Qui pourrait ne pas s'incliner? « Le plus grand écrivain français vivant, du moins je le crois, écrit Mauriac, à coup sûr le plus singulier... »

S'il m'est permis, pour conclure, de donner une brève remarque personnelle, je mettrai seulement en regard deux textes, prononcés à vingt-quatre ans d'intervalle.

Le premier est de 1935, et c'est la réponse de Malraux à un manifeste d'écrivains et intellectuels de droite (parmi lesquels onze académiciens) pour la défense de ce qu'ils appelaient « les valeurs de l'Occident ». Malraux leur jette superbement :

« *Les vertus créatrices de l'Occident, intellectuels réactionnaires, elles sont nées de la mort de ce que vous défendez... L'Occident n'a pas inventé la valeur de l'ordre, il a inventé la valeur fondamentale de l'acte qui inlassablement le modifie... Les vertus créatrices de l'Occident... préparent sourdement l'homme libre, l'homme et non la caste, l'homme et non la création... Au-delà de la transformation même du monde, ces vertus entendent rejoindre l'homme nourri d'elles comme il le fut jadis de sa douleur, mais plus grand que tout ce qui le forme, l'homme qui n'est pas un privilège, l'homme fait de tout ce qui vous récuse et de tout ce qui vous nie.* »

Le second texte date de 1959[2]. Malraux est ministre,

---

2. En 1959, donc bien avant l'installation en Grèce du régime militaire actuel.

et il présente à Athènes le premier spectacle Son et Lumière de l'Acropole :

« Sur cette terre pour la première fois le mot intelligence *a voulu dire interrogation...*

« Tout à l'heure la Grèce antique va vous dire : j'ai cherché la vérité, et j'ai trouvé la justice et la liberté. J'ai inventé l'indépendance de l'art et de l'esprit. J'ai dressé pour la première fois, en face de ses dieux, l'homme prosterné partout depuis quatre millénaires. Et du même coup, je l'ai dressé en face du despote. »

J'entends dans ces deux textes, malgré la différence des années, le même homme et la même voix.

Pol GAILLARD.

1921. Malraux, qui n'a pas encore 20 ans, publie aux Éditions de la Galerie Simon *Lunes en papier*, « petit livre où l'on trouve la relation de quelques luttes peu connues des hommes ainsi que celle d'un voyage parmi les objets familiers, mais étranges, le tout selon la vérité et orné de gravures sur bois, également très véridiques, par Fernand Léger ». Une autre « histoire » curieuse, *Écrit pour une idole à trompe* circule la même année, sous forme ronéotée, dans les groupes littéraires. Bien que, « selon la vérité », ces récits fantastiques ne suscitent guère, dans les revues, que des notes très brèves ou, parfois, un article dû à un ami.

Pascal Pia
[*La Mort nous parle*]

André Malraux, qui compte déjà à notre estime d'avoir dénoncé la genèse artificielle des *Chants de Maldoror* (*Action,* avril 1920) et colligé les *Chroniques Parisiennes* de Jules Laforgue, publie sous ce titre étrange : *Lunes en Papier* un curieux ouvrage dédié à Max Jacob. André Malraux identifie les péchés capitaux, raconte leur complot et comment l'idée leur vint de tuer la Mort en lui faisant prendre un bain d'acide azotique. André Malraux n'est point poète. Simple négligence. L'imagination qui préside à ses écrits est naïve comme un jouet, et compliquée comme seule la naïveté peut l'être.

PASCAL PIA © *Le Disque vert*, Bruxelles, juillet 1922.

Au seuil de son livre, un avertissement semblable aux
« prenez-garde-aux-pièges-à-loups » dénonce cet esprit
déconcertant. Malraux a choisi cette épigraphe dans
Hoffmann : « Prenez garde, car vous avez affaire ici à
des gens assez curieux. » Il fallait bien que les lunes
fussent en papier qui laissèrent évoluer les péchés capitaux dans un décor de ballet, et jusqu'en l'Empire de
la Mort, appelé par les conjurés : *Royaume-Farfelu.*

L'ouvrage d'André Malraux a l'aspect inquiétant
d'un grimoire. Impertinence ou ironie, voici que la
Mort parle : « *Le monde ne nous est supportable que grâce
à l'habitude que nous avons de le supporter. On nous l'impose
quand nous sommes trop jeunes pour nous défendre.* » Contre
ces principes, le lecteur se tourne mal, André Malraux
ayant délicieusement pris soin d'exclure tout symbole.

1923. Malraux, qui a continué à Paris ses
recherches sur l'art et fait paraître ici ou là
diverses études (sur Gide, Gobineau, Max
Jacob, Maurras), est parti pour l'Indochine
avec Clara Malraux. Il veut arracher à la
forêt quelques très belles statues khmères
d'un temple en ruine signalé par l'École
française d'Extrême-Orient. Il le fait. Mais
le 24 décembre, à Pnom-Penh, il est inculpé
pour vol de statues et le 21 juillet **1924** il
est condamné à trois ans de prison sans
sursis. Ni à Paris ni en Indochine la presse
ne se montre tendre à son égard. Certains
journaux accumulent les calomnies. Le premier « employeur » de Malraux, René-Louis
Doyon, directeur de la maison et de la revue
La Connaissance, s'efforce de rétablir la vérité.
Le 25 août **1924** Marcel Arland, André
Breton, François Mauriac et Jean Paulhan
s'associent, dans *L'Éclair,* à la protestation
de René-Louis Doyon contre « la condamnation d'André Malraux et les commentaires
plus ou moins ignobles dont l'ont accueillie
certains journaux ». Ils déclarent « souhaiter
ardemment que soient prises en considération l'intelligence et la réelle valeur littéraire de cette personnalité, dont la jeunesse
et l'œuvre déjà réalisée permettent de très

grands espoirs ». Le 16 août d'ailleurs, dans
Les Nouvelles littéraires, André Breton a
publié l'article suivant :

André Breton
Pour André Malraux

Adieu prudence! « *Partout où l'on regarde, dit* André
Malraux, *une joie gît enterrée.* » Quelle joie? C'est ici le
fameux dilemme du désir et de la possession qui pous-
sera un jeune homme de vingt-trois ans, doué d'un
tempérament fougueux et quelque peu héroïque, à
emporter ce qu'il aime (et même de l'argent, ou ce qui
en représente) dans un de ces élans d'innocence absolue
qu'on a coutume, après leur mort, de passer glorieu-
sement aux poètes. Ainsi nous apprenons par les journaux que le jeune auteur de *Lunes en papier* s'est rendu
« coupable » de rapt sur la personne de deux ou trois
danseuses de pierre dans un temple presque inconnu
des environs d'Angkor. Qui se soucie réellement de la
conservation dans leur pays d'origine de ces œuvres
d'art? Je ne veux pas le savoir, mais je ne peux penser
sans émotion que, du fait de la découverte de ce larcin
sans importance, André Malraux, condamné par le
tribunal de Pnom-Penh à trois ans de prison sans sursis,
va se trouver empêché momentanément, et peut-être,
hélas! définitivement, de servir l'art de notre temps en
France, de réaliser, qui sait, une œuvre plus haute que
celle qu'il a menacée.

Je n'ai pas connu personnellement André Malraux, ce
qui me met à l'aise pour apprécier sa personnalité littéraire telle qu'elle se dessine jusqu'ici. *Lunes en papier*
et *Écrit pour une idole à trompe* participent de l'activité
intellectuelle la plus secrète d'aujourd'hui; ce sont de
remarquables expériences dans un laboratoire où le grand
public n'est pas invité. On a dit que l'insuccès littéraire

et le dépit avaient fait d'André Malraux un aventurier, ce qui en d'autres circonstances serait plaisant. L'aventure poétique, nous sommes encore quelques-uns à la chercher, et l'on peut croire que ce n'est pas sur la route d'Angkor. Il est inadmissible qu'on ternisse à si peu de frais cette figure ou cette mémoire, comme on a voulu noyer Apollinaire à propos de la Joconde, qui ne le valait pas. Le lyrisme d'un écrivain moderne et sa compréhension de la peinture cubiste ne sauraient être invoqués par la plupart comme un témoignage d'immoralité. Il y va de tout ce qui nous importe et, au-delà de Malraux lui-même, de la sauvegarde d'une certaine qualité d'esprit. J'en appelle à ses amis André Gide, Edmond Jaloux, Pierre Mac Orlan, Max Jacob, Florent Fels, Marcel Arland et aux autres. Tous, je l'espère, nous serons avec André Malraux et nous ne l'abandonnerons pas à celui qu'il a appelé le frère du hasard, le vent.

> L'appel d'André Breton est entendu. *Les Nouvelles Littéraires* du 6 septembre 1924 publient la pétition suivante.

Les soussignés, émus de la condamnation qui frappe André Malraux, ont confiance dans les égards que la Justice a coutume de témoigner à tous ceux qui contribuent à augmenter le patrimoine intellectuel de notre pays. Ils tiennent à se porter garants de l'intelligence et de la réelle valeur littéraire de cette personnalité, dont la jeunesse et l'œuvre déjà réalisée autorisent de très grands espoirs. Ils déploreraient vivement la perte résultant d'une sanction qui empêcherait André Malraux d'accomplir ce que tous étaient en droit d'attendre de lui.

EDMOND JALOUX, FRANÇOIS MAURIAC, PIERRE MAC ORLAN, JEAN PAULHAN, ANDRÉ MAUROIS, JACQUES RIVIÈRE, MAX JACOB, FRANÇOIS LE GRIX, MAURICE MARTIN DU GARD, CHARLES DU BOS, G. GALLIMARD, R. GALLIMARD, PHILIPPE SOUPAULT, FLORENT FELS, LOUIS ARAGON, PIERRE DE LA NUX, GUY DE POURTALÈS, PASCAL PIA, ANDRÉ HOULAIRE, ANDRÉ DESSON, ANDRÉ BRETON, MARCEL ARLAND.

Deux extraits d'*Écrit pour une idole à trompe*
(*Divertissement* et *Triomphe*) paraissent dans
la revue *Accords*. Marcel Arland donne pour
ces textes une présentation émouvante et
perspicace, qui est un nouvel appel en faveur
de Malraux.

Marcel Arland
« *L'une des plus belles figures d'aujourd'hui* »

Je ne puis parler d'André Malraux sans émotion ; à
l'âge où certains se consument en gestes et en paroles,
et cherchent en de minuscules scandales une publicité
facile, André Malraux va jouer au Cambodge une
aventure dont l'enjeu (et ce n'est pas que sa vie) lui
apparaît assez négligeable.

Dira-t-on qu'il renonce à la littérature ? Pas même :
lui qui est un des plus purs parmi les jeunes écrivains,
il savait que la littérature ne pouvait pas le satisfaire ;
il la dédaigne sans grandes phrases, simplement parce
que son angoisse ne peut plus se contenter de mots.

Car si l'on peut parler d'angoisse, c'est bien à
propos de cet homme qui, à 23 ans, a plus vécu, plus
pensé, plus souffert que la plupart de nos vieillards
officiels. Son admirable intelligence avive encore ce
tourment ; elle l'a jeté tour à tour vers toutes les possibilités qui s'offraient à lui ; il les envisage, il s'y livre
maintes fois ; mais il garde jusqu'au bout sa lucidité,
qui l'alimente d'amertume, son frémissement, qui fait
de lui un artiste, et son malaise, qui le pousse sans cesse
plus avant.

Qu'on ne se trompe pas sur la fantaisie apparente
des pages de Malraux, qu'on va lire ici ; elle est un
masque que lui impose une très noble pudeur ; il jongle

MARCEL ARLAND, © *Accords,* octobre-novembre 1924.

avec les idées, mais se blesse à chacune ; avec les mots, et pas un qu'il ne méprise. On y trouvera sa rare élégance, et je ne résiste pas au plaisir de la proposer comme leçon de bon goût. Je souhaiterais qu'on y sût aussi trouver des raisons d'aimer l'une des plus belles figures d'aujourd'hui.

Le jugement de Pnom-Penh fut cassé en appel... En **1925** Malraux repart pour l'Indochine et il s'y donne cette fois à l'action politique. Ses articles de *L'Indochine* et de *L'Indochine enchaînée,* révélés récemment par MM. André Vandegans et Walter Langlois[1], forment le deuxième volet, indispensable à connaître, de ses œuvres de jeunesse. *L'Expédition d'Ispahan,* publiée le 6 août **1925** dans *L'Indochine* sous le pseudonyme de Maurice Sainte-Rose, peut être considérée comme la première manifestation incontestable de son génie d'écrivain.

Très malade (selon le témoignage de Paul Morand), Malraux quitte Saigon en décembre **1925.** Sans jamais cesser ses recherches sur l'art, il achève ou compose presque en même temps à Paris deux essais : *La Tentation de l'Occident* et *D'une jeunesse européenne,* une « histoire » : *Royaume-Farfelu* et ses deux premiers grands romans : *Les Conquérants* (parus en **1928**) et *La Voie royale* (parue en **1930** mais conçue et ébauchée avant *Les Conquérants*).

Les Conquérants surtout suscitent des discussions passionnées.

---

1. Voir Walter Langlois : *André Malraux, l'aventure indochinoise* (Mercure, 1967), p. 311, et notre *André Malraux* (Bordas, 1970), p. 52.

Les problèmes des Conquérants

GABRIEL   MARCEL
LÉON   BRUNSCHVICG
ANDRÉ   MALRAUX

M. MALRAUX. — J'en viens enfin à une dernière question qu'on m'a posée : « Où va Garine? Au nom de quoi se lie-t-il à un mouvement révolutionnaire? »

Question liée à une certaine idée générale de la révolution, très saugrenue, et que je voudrais examiner. Elle est née de l'idée de construction. Il faut, lorsqu'on veut concevoir un révolutionnaire, que ce révolutionnaire soit un homme qui a une doctrine préconçue, que cette doctrine ne soit pas une technique, si je puis dire; qu'elle ne tende pas à l'établissement d'une technique, mais qu'elle tende à tout autre chose, à l'organisation d'un sort idéal. Or il est certain que si, parmi les écrivains qui m'entourent, quelqu'un disait que le romancier est un homme qui a une idée totale de son roman, qu'il en a cette idée si totale qu'il le sait par cœur au moment où il va commencer à l'écrire, nous saurions tous à quoi nous en tenir. De même, pour le révolutionnaire comme pour toute vie humaine, cette idée de construction précise est ou un sophisme ou une idée inexacte. Lénine avait une idée de la révolution; mais il est certain que bien longtemps avant la Nep, il savait que cette idée ne serait pas exécutée. Garine ne se soumet pas à une image, mais à un mouvement proprement révolutionnaire. Il sait que la fraternité d'armes qui le lie au prolétariat l'obligera, lorsque le dilemme tragique se posera, à opter dans un sens donné.

La valeur essentielle qu'il oppose à ce que j'appelais tout à l'heure les valeurs de considération, que nous pourrions appeler aussi valeurs d'ordre ou valeurs de prévoyance, c'est une valeur de métamorphose. Non dans l'absolu, ce qui cesserait de signifier quelque chose dans les limites précises que je viens d'indiquer. Lorsque la révolution intervient, elle lui permet de manifester sa volonté, et sa volonté est au service de ses frères d'armes. Il ne sait pas ce que sera la révolution, mais il sait où il ira lorsqu'il aura pris telle ou telle décision.

Saint-Just, au moment où a commencé son action, n'était pas républicain; et Lénine n'attendait pas la Nep de la révolution. Le révolutionnaire n'est pas un homme qui a un idéal fait; c'est un homme qui veut demander et obtenir le plus possible pour les gens qui sont les siens, pour ceux que j'appelais tout à l'heure ses frères d'armes.

La question fondamentale pour Garine est bien moins de savoir comment on peut participer à une révolution que de savoir comment on peut échapper à ce qu'il appelle l'absurde. L'ensemble des *Conquérants* est une revendication perpétuelle, et j'ai d'ailleurs insisté sur cette phrase : échapper à cette idée de l'absurde en fuyant dans l'humain. Il est certain qu'on pourra dire qu'on peut fuir plus loin; il est certain qu'on pourra dire qu'on peut fuir mieux. Je ne prétends en aucune façon répondre à ces objections. Je dis simplement que Garine est un homme qui, dans la mesure où il a fui cette absurdité qui est la chose la plus tragique devant laquelle se trouve un homme, a donné un certain exemple. [...]

M. GABRIEL MARCEL. — Je vous dis donc ceci, qui est pour moi une objection, mais qui est avant tout une question : le révolutionnaire, tel que vous le définissez en Garine, en a en quelque sorte fini avec la mythologie du but. Il n'en est vraisemblablement pas de même de ses frères d'armes.

M. MALRAUX. — Lorsque Garine dit qu'il en a fini avec la mythologie du but, il ne veut pas dire qu'il en a fini avec l'action, mais avec la mythologie du paradis terrestre. Vous croyez qu'il n'en est pas de même de ses frères d'armes?

M. GABRIEL MARCEL. — Mon objection est la suivante : je me demande jusqu'à quel point le révolutionnaire Garine ne réussit pas à imposer son action à la faveur d'un malentendu soigneusement entretenu... Il est évidemment certain qu'il faut qu'il se produise un certain ensemble d'événements pour que Garine puisse s'affirmer, mais je reste absolument dans les ténèbres quant à la position qu'il prend au fond de lui-même par rapport au résultat à obtenir. Je comprends très bien qu'il ne puisse pas... comment dirais-je? s'en désintéresser. C'est une sorte de règle du jeu.

M. MALRAUX. — Ce qui est essentiel pour Garine, ce n'est pas de savoir quelle sera la fin, mais de savoir quelle sera sa responsabilité dans cette fin. Il ne s'agit pas pour lui de se défiler au nom des fins dernières ou de la nature de l'idée de révolution, mais de se dire : Moi, chef responsable vis-à-vis de mes frères d'armes, je dois agir de telle façon, parce que je suis lié à eux.

M. LÉON BRUNSCHVICG. — Quelle est la part du choix personnel dans cette attitude?

M. MALRAUX. — La part du choix personnel joue surtout dans sa vie antérieure. À partir du moment où l'on combat, le choix personnel est donné par l'ennemi. [...]

M. LÉON BRUNSCHVICG. — Que Garine veuille frapper « l'enveloppe bourgeoise » de l'homme, les valeurs bourgeoises, c'est certain; mais croit-il qu'il y a autre chose dans le prolétariat qu'une autre enveloppe?

M. BERL. — Certainement, il le croit.

M. GABRIEL MARCEL. — Alors le problème se repose complètement. Qu'est au juste ce nouvel élément, l'élément humain?

M. MALRAUX. — Je me refuse absolument à substituer ici une idéologie prolétarienne à une idéologie bourgeoise. Ce que je prétends opposer à des valeurs de permanence, ce sont des valeurs de métamorphose. Garine n'a pas à définir ce qui est bien, mais à le faire.

M. GABRIEL MARCEL. — Je crois qu'alors il est un peu imprudent de votre part de parler de fuite dans l'humain. Je ne comprends pas la notion de l'humain, si ce n'est pas la notion d'une certaine permanence. Vous vous mettez donc en contradiction, non pas avec une terminologie, mais avec une façon de penser...

M. MALRAUX. — Garine ne conçoit pas plus l'humain en soi que la révolution en soi, mais il sait très bien quelles sont ses préférences et à quel moment il va vers l'humain. Ses problèmes se résolvent par des préférences précises senties en face de problèmes précis, par des actes.

M. GABRIEL MARCEL. — C'est une manière singulièrement facile d'échapper au problème. [...]

M. Léon Brunschvicg. — Il y a des plans d'existence où il est absolument chimérique de vouloir spéculer sur les faits si on n'a pas de moyens à sa disposition, et vous pouvez appeler cela le plan de l'action. Mais il se trouve que quelques-unes des valeurs créées par l'humanité (et ce sont les valeurs qui faisaient la consolation de Condorcet dans sa prison) sont, par la seule idéologie, la seule intelligence, la seule réflexion, et même la seule jouissance, comme dans l'art, suffisantes à créer la réalité. L'homme vit sur ce double plan de valeurs. Il faut, bien entendu, que l'artiste continue de respirer pour réaliser son œuvre. Et par là le problème se pose de savoir si nous ne payons pas beaucoup trop cher, dans l'ensemble de l'humanité, l'exception en faveur de quelques-uns. Mais ce n'est plus la question de la bourgeoisie et du prolétariat, c'est la question de l'aristocratie, qui comprend la question de l'aristocratie des intellectuels ou des artistes par rapport à la masse. Et nous arrivons ainsi à la conception des révolutionnaires français qui n'a pas été défendue ici, mais qui existe au fond dans beaucoup d'esprits : que lorsqu'on a vu clairement le but, si élevé qu'il soit, les moyens se déduisent d'eux-mêmes. Or cela n'est nullement évident; il n'est pas sûr que l'humanité, dans le sens même où vous désirez qu'elle aille, doive gagner à une révolution brusquée plus qu'à une série de réformes, qu'à une évolution. Cela revient à se demander si le but de la révolution, j'entends le but immédiat, serait servi par la révolution elle-même. Il est probable que la réponse que vous avez donnée à cette question en ce qui concerne la Chine ne serait pas celle qu'on pourrait faire pour l'Italie ou pour l'Allemagne. Il est possible encore que la conception de la révolution russe soit particulière; car s'il est supposé qu'une révolution se produit pour renverser un régime, il est possible encore qu'une révolution n'ait jamais renversé de régime, sinon lorsque le régime avait déjà commencé de lui-même à cesser d'exister.

M. Malraux. — C'est une autre question.

M. Léon Brunschvicg. — Juger la révolution russe comme une révolution normale, c'est-à-dire comme la substitution à un régime normal de capitalisme d'un régime normal de socialisme serait évidemment une injustice.

M. MALRAUX. — Mais comment imaginer le passage, sans révolution, du monde des tsars à celui des tentatives de vie collective qui est devenu celui des bolcheviks? En Russie s'efforce de renaître ce que j'ai appelé un art sacré, un art qui fait appel à tous. De renaître ou de naître... Se maintiendra-t-il? La question essentielle me paraît être celle-ci : Allons-nous continuer à assister à la vie d'une humanité morcelée où chacun continuera à agir dans un domaine particulier, ou bien, au contraire, allons-nous constater la naissance d'un grand esprit collectif qui balaiera tous les problèmes secondaires et replacera l'humanité dans un domaine de préoccupations tout à fait différent?

Emmanuel Berl
[*L'intellectuel et la Révolution*]

On se trouve pris dans tout un système de mensonges. L'intellectuel tend vers le communisme parce qu'il sent sur la bourgeoisie l'odeur de la mort et que la tyrannie capitaliste l'exaspère. Mais le communisme exige alors de lui qu'il souscrive à un programme et à des méthodes dont l'un lui semble stupide et les autres inefficaces. Traître donc ou à la révolution, sans laquelle sa pensée se défait, ou au parti révolutionnaire, à quoi il ne sait adhérer qu'avec des réserves mentales dont il se trouve assez vite las. Le drame de l'intellectuel contemporain, c'est qu'il voudrait être révolutionnaire et qu'il ne peut pas y parvenir. Il sent la nécessité de secouer le monde moderne, pris dans le réseau des nationalismes et des classes, il sent l'impossibilité morale d'accepter le destin des ouvriers d'Europe — destin plus inacceptable peut-être que celui d'aucun groupe humain à aucune période de l'histoire, puisque la civilisation capi-

EMMANUEL BERL, *Mort de la Pensée Bourgeoise*, © éditions Bernard Grasset, 1929.

taliste, si elle ne les accule pas toujours nécessairement à la misère intégrale où Marx les voyait rivés, ne peut leur offrir aucune justification de leur existence par rapport à un principe ou à une finalité quelconque. Et il ne peut pas dépasser le stade de la révolte, de la non-acceptation dans leur stérilité. Nous entendons autour de nous ce cri de famine, nous sentons peser sur nos esprits ces interrogations qu'il nous faut laisser sans réponse. Et à proportion de notre lucidité, nous nous sentons disqualifiés, pour ne pouvoir point réagir à cette mise en demeure qui porte sur l'essence même de notre vie. Mais ni le désespoir, ni le dilettantisme, ni la construction romanesque, ni la construction dialectique ne peuvent nous dérober à la misère de trouver nos poches vides devant l'exigence si légitime d'une revendication si inéluctable. Nous devons pouvoir répondre, et nous n'avons rien à répondre. Et le fait demeure que nous n'avons rien à répondre et que notre silence nous ôte toute justification de nous-mêmes à nos propres yeux. [...]

C'est sans doute chez Malraux que le problème des rapports de l'intellectuel et de la Révolution tend le plus vers une solution acceptable. Je considère *les Conquérants* comme un événement de la plus haute importance, dans l'histoire morale contemporaine. Je m'étonne qu'elle ait été si mal sentie, qu'on ait tant discuté esthétique là où quelque chose est en jeu, qui dépasse de beaucoup l'esthétique. Pour moi, Garine est un nouveau type d'homme. Sa seule existence dénoue beaucoup de problèmes et de difficultés. Elle en pose de nouvelles, aussi. Les bourgeois que séduit l'art de Malraux comprendront, demain, s'ils ne le comprennent pas aujourd'hui, le danger que Malraux leur fait courir et ils cesseront de chercher dans son livre de renseignements sur la Chine, des tableaux, une chronique ou une psychologie. Leur attitude, en face des *Conquérants,* montre à quel point d'abaissement spirituel ils tombent. Toujours parler d'autre chose que de ce qui est en jeu. Admirer les photographies du *Cuirassé Potemkine,* la bonne composition des livres de Trotzky, le visage de Saint-Just. On finira par en sortir!

Pas plus que Drieu, Malraux ne cherche à nier ou à plâtrer sa solitude — la nôtre. Pas plus que Drieu, il ne s'illusionne sur la valeur des transformations révolutionnaires. Garine est victorieux. Mais il meurt. Il ne peut que mourir : car il sait fort bien qu'il ne peut que substituer à un ordre détestable un autre ordre, non moins détestable. Il sait qu'aucune pensée, aucune action ne vaut que par le mouvement qui l'anime, que tout arrêt — et la fatigue soit du chef, soit des troupes rend cet arrêt nécessaire — équivaut, pour qui le subit, à la négation de son entreprise. Fondamentale identité du succès et de l'échec. En définitive, Garine ne peut garder de l'Univers que le goût d'un jeu par quoi il y ajoute. Le Grand Jeu. La Révolution devient la suprême aventure, la possibilité ultime d'un Univers dont les possibles se referment autour de l'individu condamné. Le problème, pour Malraux, n'est pas de savoir comment l'intellectuel peut adhérer à un programme, mais comment il peut devenir un chef révolutionnaire efficace. Revêtir la forme du conquistador. Entre un pont que la crue va emporter et les moustiques dont il recevra la fièvre. Seul. Et d'une solitude qui ne communique avec aucune autre. Si proches. Mais sans que l'amitié ni l'amour puissent combler cet intervalle minuscule et éternel. Malraux saisit ce tragique. Il l'accepte. Il ne songe ni à s'en dépêtrer ni à en gémir. Je ne connais pas, depuis Nietzsche, un livre aussi héroïque que le sien. Pas de désespoir. Personne plus que Malraux n'est loin de vouloir fonder, comme les surréalistes, un club du désespoir, un café du désespoir, une littérature du désespoir, une peinture du désespoir, une galerie du désespoir. Non. Le manque simple d'espoir. Qui ne gêne en rien la démarche d'un esprit vers le vrai et d'une vie vers l'acte. Vienne le jour du grand risque. Que la Révolution ne puisse être davantage qu'une aventure avec, sans doute, au bout, rien à gagner ni à perdre n'affaiblit pas Garine, ne diminue ni son efficace ni sa loyauté.

Pour Malraux, l'essence du révolutionnaire ne consiste ni dans une foi — toujours niaise — ni dans une information — toujours incomplète, ni en des disciplines — toujours périmées, mais dans un certain état de disponibilité et de courage. Garine ne s'intéresse pas à sa propre vie. Et il peut mettre une absence totale de scrupules au service d'intérêts, qui ne sont pas les siens propres.

Le recours de Garine ou de Malraux à l'action n'est pas une mystique de l'action, une manière de renverser ou de disqualifier la pensée : deux termes entre lesquels, avec aisance, et indifférence, le joueur se meut. Malraux reste, restera, veut rester un intellectuel, que le désordre des concepts irrite, qui a en horreur la bêtise et toute résignation pseudo-rimbaldienne à la bêtise. Seulement, il ne pense pas que les difficultés où l'intellectuel s'englue, puissent être résolues sans une certaine chance, sans un certain apport du monde extérieur dans le moment et dans le lieu. Nihiliste. Mais pas idéaliste. Pour que Garine s'en sorte, il faut la Chine, la révolution cantonnaise. Le pur travail de l'esprit ne suffit pas à délivrer l'Esprit.

Celui-ci reste empêtré en un réseau assez solide de liens qui le tiraillent et dont il ne peut sans doute point se dépêtrer par le simple jeu d'une dialectique. Il faut, courageusement, courir les risques par lesquels quelque chose peut venir, et le risque, aussi, que rien ne vienne.

Léon Trotsky
La Révolution étranglée

J'ai malheureusement lu *Les Conquérants* avec un retard de dix-huit mois ou de deux ans. Le livre est consacré à la Révolution chinoise, c'est-à-dire au plus grand sujet de ces cinq dernières années. Un style dense et beau, l'œil précis d'un artiste, l'observation originale et hardie, tout confère au roman une importance exceptionnelle. Si j'en parle ici, ce n'est pas parce que le livre est plein de talent, bien que ce fait ne soit pas négligeable, mais parce qu'il offre une source d'enseignements politiques de la plus haute valeur. Viennent-ils de Malraux?

Léon Trotsky, N.R.F., avril 1931, © Éd. Gallimard.

Non, ils découlent du récit même, à l'insu de l'auteur, et témoignent contre lui, ce qui fait honneur à l'observateur et à l'artiste, mais non au révolutionnaire. Cependant, nous sommes en droit d'apprécier également Malraux de ce point de vue : en son nom personnel et surtout au nom de Garine, son second moi, l'auteur ne marchande pas ses jugements sur la révolution.

Le livre s'intitule roman. En fait, nous sommes en face de la chronique romancée de la Révolution chinoise dans sa première période, celle de Canton. La chronique n'est pas complète. La poigne sociale fait parfois défaut. En revanche, passent devant le lecteur, non seulement de lumineux épisodes de la révolution, mais encore des silhouettes nettement découpées qui se gravent dans la mémoire comme des symboles sociaux.

Par petites touches colorées, suivant la méthode des pointillistes, Malraux donne un inoubliable tableau de la grève générale, non pas certes comme elle est en bas, non comme on la fait, mais comme elle est aperçue en haut : les Européens n'ont pas leur déjeuner, les Européens étouffent de chaleur — les Chinois ont cessé de travailler aux cuisines et de faire fonctionner les ventilateurs. Ceci n'est pas un reproche à l'adresse de l'auteur : l'étranger-artiste n'aurait sans doute pas pu aborder son thème autrement. Mais on peut lui faire un autre grief qui, lui, est d'importance : il manque au livre une affinité naturelle entre l'écrivain, malgré tout ce qu'il sait et comprend, et son héroïne, la Révolution.

Les sympathies, d'ailleurs actives, de l'auteur pour la Chine insurgée sont indiscutables. Mais elles sont corrodées par les outrances de l'individualisme et du caprice esthétique. En lisant le livre avec une attention soutenue, on éprouve parfois un sentiment de dépit, lorsque dans le ton du récit, on perçoit une note d'ironie protectrice à l'égard des barbares capables d'enthousiasme. Que la Chine soit arriérée, que certaines de ses manifestations politiques aient un caractère primitif, personne n'exige qu'on le passe sous silence. Mais il faut une juste perspective qui mette tous les objets à leur place. Les événements chinois, sur le fond desquels se déroule le « roman » de Malraux, sont incomparablement plus importants, pour les destins futurs de la culture humaine, que le tapage vain et pitoyable des parlements européens et que les montagnes de produits littéraires des civilisations stagnantes. Malraux semble éprouver une certaine timidité à s'en rendre compte.

Dans le roman, il est des pages, belles par leur intensité, qui montrent comment la haine révolutionnaire naît du joug, de l'ignorance, de l'esclavage et se trempe comme l'acier. Ces pages auraient pu entrer dans l'Anthologie de la Révolution si Malraux avait abordé les masses populaires avec plus de liberté et de hardiesse, s'il n'avait pas introduit dans son étude une petite note de supériorité blasée, semblant s'excuser de sa liaison passagère avec l'insurrection du peuple chinois, aussi bien peut-être à l'égard de lui-même que des mandarins académiques en France et des trafiquants d'opium de l'esprit.

Borodine représente le Komintern et occupe le poste de conseiller près du gouvernement de Canton. Garine, le favori de l'auteur, est chargé de la propagande. Tout le travail se poursuit dans les cadres du Kuomintang. Borodine, Garine, le « général » russe Gallen, le Français Gérard, l'Allemand Klein constituent une originale bureaucratie de la révolution, s'élevant au-dessus du peuple insurgé et menant sa propre « politique révolutionnaire » au lieu de mener la politique de la révolution.

Les organisations locales du Kuomintang sont ainsi définies : « La réunion de quelques fanatiques, évidemment braves, de quelques richards qui cherchent la considération ou la sûreté, de nombreux étudiants, de coolies... ». Non seulement les bourgeois entrent dans chaque organisation mais ils mènent complètement le parti. Les communistes relèvent du Kuomintang. On persuade aux ouvriers et aux paysans de n'accomplir aucun acte qui puisse rebuter les amis venus de la bourgeoisie. « Telles sont ces sociétés que nous contrôlons (plus ou moins d'ailleurs, ne vous y trompez pas)... » Édifiant aveu! La bureaucratie du Komintern a essayé de « contrôler » la lutte de classes en Chine, comme l'internationale bancaire contrôle la vie économique des pays arriérés. Mais une révolution ne peut se commander. On peut seulement donner une expression politique à ses forces intérieures. Il faut savoir à laquelle de ces forces on liera son destin.

« Les coolies sont en train de découvrir qu'ils existent, simplement qu'ils existent. » C'est bien visé. Mais pour sentir qu'ils existent, les coolies, les ouvriers industriels et les paysans doivent renverser ceux qui les empêchent d'exister. La domination étrangère est indissolublement liée au joug intérieur. Les coolies doivent, non seulement chasser Baldwin ou Macdonald, mais renverser encore la classe dirigeante. L'un ne peut se réaliser sans l'autre. Ainsi, l'éveil de la personnalité humaine dans les masses de la Chine — qui dépassent dix fois la population de la France — se fond immédiatement dans la lave de la révolution sociale. Spectacle grandiose!

Mais ici, Borodine entre en scène et déclare : « Dans cette révolution, les ouvriers doivent faire le travail des coolies pour la bourgeoisie. » L'asservissement social dont il veut se libérer, le prolétaire le trouve transposé dans la sphère de la politique. À qui doit-on cette opération perfide? À la bureaucratie du Komintern. En essayant de « contrôler » le Kuomintang, elle aide, en fait, le bourgeois qui recherche « considération et sécurité » à s'asservir les coolies qui veulent exister.

Borodine qui, tout le temps, reste à l'arrière-plan, se caractérise dans le roman comme un homme « d'action », comme un « révolutionnaire professionnel », comme une incarnation vivante du bolchevisme sur le sol de la Chine. Rien n'est plus erroné! Voici la biographie politique de Borodine : en 1903, lorsqu'il avait 19 ans, il émigra en Amérique; en 1918, il revient à Moscou où, grâce à sa connaissance de l'anglais, « il travaille à la liaison avec les partis étrangers »; il fut arrêté en 1922 à Glasgow; ensuite, il fut délégué en Chine en qualité de représentant du Komintern. Ayant quitté la Russie *avant* la première révolution et y étant revenu *après* la troisième, Borodine apparaît comme un représentant accompli de cette bureaucratie de l'État et du Parti, qui ne reconnut la révolution qu'après sa victoire. Quand il s'agit de jeunes gens, ce n'est quelquefois rien de plus qu'une question de chronologie. À l'égard d'hommes de 40 à 50 ans, c'est déjà une caractéristique politique. Si Borodine s'est brillamment rallié à la révolution victorieuse en Russie, cela ne signifie pas le moins du monde qu'il soit appelé à assurer la victoire de la révolution en Chine. Les hommes de ce type s'assimilent sans peine les gestes et les intonations des « révolutionnaires professionnels ». Nombre d'entre eux, par leur teinte protectrice, trompent non seulement les autres mais eux-mêmes. Le plus souvent, l'inflexible audace du bolchevik se métamorphose chez eux en ce cynisme du fonctionnaire prêt à tout. Ah! avoir un mandat du Comité Central! Cette sauvegarde sacro-sainte, Borodine l'avait toujours dans sa poche.

Garine n'est pas un fonctionnaire, il est plus original que Borodine, et peut-être même plus près du type du révolutionnaire. Mais il est dépourvu de la formation indispensable : dilettante et vedette de passage, il s'embrouille désespérément dans les grands événements et cela se révèle à chaque instant. À l'égard des mots d'ordre de la révolution chinoise, il se prononce ainsi : « ... bavardage démocratique, droits du peuple, etc. » Cela a un timbre radical, mais c'est un faux radicalisme. Les mots d'ordre de la démocratie sont un bavardage exécrable dans la bouche de Poincaré, Herriot, Léon Blum, escamoteurs de la France et geôliers de l'Indo-Chine, de l'Algérie et du Maroc. Mais lorsque les Chinois s'insurgent au nom des « droits du peuple », cela ressemble aussi peu à du bavardage que les mots d'ordre de la révolution française du XVIIIᵉ siècle. À Hongkong les rapaces britanniques menaçaient, au temps de la grève, de rétablir les châtiments corporels. « Les droits de l'homme et du citoyen », cela signifiait à Hongkong le droit pour les Chinois de ne pas être fustigés par le fouet britannique. Dévoiler la pourriture démocratique des impérialistes, c'est servir la révolution; appeler bavardage les mots d'ordre de l'insurrection des opprimés, c'est aider involontairement aux impérialistes.

Une bonne inoculation de marxisme aurait pu préserver l'auteur des fatales méprises de cet ordre. Mais Garine, en général, estime que la doctrine révolutionnaire est un « fatras doctrinal ». Il est, voyez-vous, l'un de ceux pour qui la Révolution n'est qu'un « état de choses déterminé ». N'est-ce pas étonnant? Mais, c'est justement parce que la révolution est un « état de choses » — c'est-à-dire un stade du développement de la société conditionné par des causes objectives et soumis à des

lois déterminées — qu'un esprit scientifique peut prévoir la direction générale du processus. Seule, l'étude
de l'anatomie de la société et de sa physiologie permet
de réagir sur la marche des événements en se basant sur
des prévisions scientifiques et non sur des conjectures
de dilettante. Le révolutionnaire qui « méprise » la doctrine révolutionnaire ne vaut pas mieux que le guérisseur
méprisant la doctrine médicale qu'il ignore ou que l'ingénieur récusant la technologie. Les hommes qui, sans
le secours de la science, essayent de rectifier cet « état de
choses » qui a nom de maladie s'appellent sorciers ou
charlatans et sont poursuivis conformément aux lois.
S'il avait existé un tribunal pour juger les sorciers de la
Révolution, il est probable que Borodine, comme ses
inspirateurs moscovites, aurait été sévèrement condamné.
Garine lui-même, je le crains, ne fût pas sorti indemne
de l'affaire. [...]

Néanmoins le gouvernement de Canton « oscille, en
s'efforçant de ne pas tomber, de Garine et Borodine,
qui tiennent police et syndicats, à Tcheng-Daï, qui ne
tient rien du tout mais n'en existe pas moins ». Nous
avons un tableau presque achevé du duumvirat. Les
représentants du Komintern ont pour eux les syndicats
ouvriers de Canton, la police, l'école des Cadets de
Wampoa, la sympathie des masses, l'aide de l'Union
Soviétique. Tcheng-Daï a une « autorité morale », c'est-
à-dire le prestige des possédants mortellement affolés.
Les amis de Tcheng-Daï siègent dans un gouvernement impuissant, bénévolement soutenu par les conci-
liateurs. Mais n'est-ce pas là le régime de la révolution
de février, le système de Kérensky et de sa bande, avec
cette seule différence que le rôle des mencheviks est
tenu par de pseudo-bolcheviks! Borodine ne s'en doute
pas, parce qu'il est grimé en bolchevik et qu'il prend
son maquillage au sérieux.

L'idée maîtresse de Garine et de Borodine est d'in-
terdire aux bateaux chinois et étrangers, faisant route
vers le port de Canton, de faire escale à Hongkong. Ces
hommes qui se considèrent comme des révolutionnaires
réalistes espèrent, par le blocus commercial, briser la
domination anglaise dans la Chine méridionale. D'ailleurs, ils n'estiment nullement qu'il soit nécessaire, au
préalable, de renverser le gouvernement de la bour-

geoisie de Canton qui ne fait qu'attendre l'heure de livrer la révolution à l'Angleterre. Non, Borodine et Garine frappent chaque jour à la porte du « gouvernement » et, chapeau bas, demandent que soit promulgué le décret sauveur. Quelqu'un des leurs rappelle à Garine, qu'au fond, ce gouvernement est un fantôme. Garine ne se trouble pas. « Fantôme ou non — réplique-t-il — qu'il marche, puisque nous avons besoin de lui. » C'est ainsi que le pope a besoin des reliques que lui-même fabrique avec de la cire et du coton. Que se cache-t-il derrière cette politique qui épuise et avilit la révolution? La considération d'un révolutionnaire de la petite bourgeoisie pour un bourgeois d'un conservatisme solide. C'est ainsi que le plus rouge des extrémistes français est toujours prêt à tomber à genoux devant Poincaré.

Mais les masses de Canton ne sont peut-être pas encore mûres pour renverser le gouvernement de la bourgeoisie? De toute cette atmosphère, il se dégage la conviction que, sans l'opposition du Komintern, le gouvernement fantôme aurait depuis longtemps été renversé sous la pression des masses. Admettons que les ouvriers cantonais soient encore trop faibles pour établir leur propre pouvoir. Quel est, d'une façon générale, le point faible des masses? — Leur préparation à succéder aux exploiteurs. Dans ce cas, le premier devoir des révolutionnaires est d'aider les ouvriers à s'affranchir de la confiance servile. Néanmoins, l'œuvre accomplie par la bureaucratie du Komintern a été diamétralement opposée. Elle a inculqué aux masses la notion de la nécessité de se soumettre à la bourgeoisie et elle a déclaré que les ennemis de la bourgeoisie étaient les siens. [...]

Le dialogue de Borodine et de Hong est le plus effroyable réquisitoire contre Borodine et ses inspirateurs moscovites. Hong, comme toujours, est à la recherche d'actions décisives. Il exige le châtiment des bourgeois les plus en vue. Borodine trouve cette unique réplique : « Il ne faut pas toucher à ceux qui paient. » « La révolution n'est pas si simple », dit Garine de son côté. « La révolution, c'est payer l'armée » — tranche Borodine. Ces aphorismes contiennent tous les éléments du nœud dans lequel la révolution chinoise fut étranglée. Borodine préservait la bourgeoisie qui, en récompense, faisait des versements pour la « révolution ». L'argent allait à l'armée de Tchang-Kaï-Chek. L'armée de Tchang-Kaï-Chek extermina le prolétariat et liquida la révolution. Était-ce vraiment impossible à prévoir? Et la chose ne fut-elle pas prévue en vérité? La bourgeoisie ne paye volontiers que l'armée qui la sert contre le peuple. L'armée de la Révolution n'attend pas de gratification : elle fait payer. Cela s'appelle la dictature révolutionnaire. Hong intervient avec succès dans les réunions ouvrières et foudroie les « Russes » porteurs de la ruine de la révolution. Les voies de Hong lui-même ne mènent pas au but mais il a raison contre Borodine. « Est-ce que les chefs des Taï-Ping avaient des conseillers russes? Et ceux des Boxers! » Si la révolution chinoise de 1924-1927 avait été livrée à elle-même, elle ne serait peut-être pas parvenue immédiatement à la victoire, mais elle n'aurait pas eu recours aux méthodes du hara-kiri, elle n'aurait pas connu de honteuses capitulations et aurait éduqué des cadres révolutionnaires. Entre le duumvirat de Canton et celui de Pétrograd, il y a cette différence tragique, qu'en Chine, il n'exista pas, en fait, de bolchevisme : sous le nom de trotskysme, il fut déclaré doctrine contre-révolutionnaire et fut persécuté par tous les moyens de la calomnie et de la répression. Où Kérensky n'avait pas réussi pendant les journées de juillet, Staline en Chine réussit dix ans plus tard.

Borodine et « tous les bolcheviks de sa génération — nous affirme Garine — ont été marqués par leur lutte contre les anarchistes ». Cette remarque était nécessaire à l'auteur pour préparer le lecteur à la lutte de Borodine contre le groupe de Hong. Historiquement, elle est fausse : l'anarchisme n'a pu dresser la tête en Russie, non parce que les bolcheviks ont lutté avec succès contre lui, mais parce qu'ils avaient auparavant creusé le sol sous ses pas. L'anarchisme, s'il ne demeure pas entre les quatre murs de cafés intellectuels ou de rédactions de journaux, mais pénètre plus profondément, traduit la psychologie du désespoir dans les masses et représente le châtiment politique des tromperies de la démocratie et des trahisons de l'opportunisme. La hardiesse du bolchevisme à poser les problèmes révolutionnaires et à enseigner leurs solutions n'a pas laissé de place au développement de l'anarchisme en Russie. Mais, si l'enquête historique de Malraux n'est pas exacte, son récit, en revanche, montre admirablement comment la politique opportuniste de Staline-Borodine a préparé le terrain au terrorisme anarchiste en Chine.

Poussé par la logique de cette politique, Borodine consent à prendre un décret contre les terroristes. Les solides révolutionnaires rejetés dans la voie de l'aventure par les crimes des dirigeants moscovites, la bourgeoisie de Canton, nantie de la bénédiction du Komintern, les déclare hors la loi. Ils répondent par des actes de terrorisme contre les bureaucrates pseudo-révolutionnaires protégeant la bourgeoisie qui paye. Borodine et Garine s'emparent des terroristes et les exterminent, défendant non plus les bourgeois mais leur propre tête. C'est ainsi que la politique des accommodements glisse fatalement au dernier degré de la félonie.

Le livre s'intitule *Les Conquérants.* Dans l'esprit de l'auteur, ce titre à double sens, où la Révolution se farde d'impérialisme, se réfère aux bolcheviks russes ou plus exactement à une certaine fraction d'entre eux. Les Conquérants? Les masses chinoises se sont soulevées pour une insurrection révolutionnaire, sous l'influence indiscutable du coup d'état d'octobre comme exemple et du bolchevisme comme drapeau. Mais les « Conquérants » n'ont rien conquis. Au contraire, ils ont tout livré à l'ennemi. Si la révolution russe a provoqué la révolution chinoise, les Épigones russes l'ont étouffée. Malraux ne fait pas ces déductions. Il ne semble pas même y penser. Elles ne ressortent que plus clairement sur le fond de son livre remarquable.

Prinkipo, 9 février 1931.
(Traduction de Madeleine ETARD.)

André Malraux
Réponse à Trotsky

« Une bonne inoculation de marxisme eût préservé Garine — et l'auteur — de fatales méprises. » Notons d'abord que Borodine, qui pourtant est marxiste, que la Direction chargée par la IIIe Internationale, à Moscou, des affaires d'Asie, qui elle aussi est marxiste, commettent ces mêmes méprises ; mais avant de discuter du rôle des vivants dans le bouleversement de la Chine, écartons tout ce qui, dans cette critique de Trotsky, naît des conditions de la fiction.

D'abord, le ton. Lorsque Trotsky, après avoir donné une biographie un peu incomplète de Borodine, nous dit : « Cet homme n'est pas un révolutionnaire professionnel », il a raison par rapport à lui, Trotsky ; mais Borodine est un révolutionnaire professionnel par rapport à Garine et à ceux qui l'entourent ; mais l'organisateur de trois mouvements insurrectionnels (Angleterre, Espagne, Chine), fonctionnaire de l'Internationale communiste, est pour le lecteur français un révolutionnaire de profession. Les objections secondaires de Trotsky portent toutes sur cette différence d'optique, viennent de ce qu'il traite ce roman, où « je n'ai pas marchandé mes jugements sur la Révolution », comme un livre d'affirmations. Ce ne sont pas mes jugements que l'on trouve dans *Les Conquérants,* ce sont les jugements d'individus distincts, et surtout (même lorsqu'il s'agit de Garine) à des instants particuliers. Lorsque je parle de « bavardage démocratique », de « fatras doctrinal », ce n'est pas à la doctrine que j'en ai, mais à la façon idiote dont elle était comprise et exposée par des personnages déterminés. Il me semble que Trotsky, lorsqu'il juge de certaines parties de la doctrine *écrite* de Sun-Yat-Sen, emploie des mots plus durs que les miens. Je n'appelle pas bavardage la lutte contre la faim et des châtiments corporels (les pieds nus des morts de faim, qui dépassaient comme une frange raide de tous côtés des immenses bâches, donnaient là-dessus des idées dont on ne change guère); je dis qu'il fallut souvent que la souffrance fût terrible pour qu'elle pût se reconnaître à travers des boniments de réunions électorales : au début de 1925, à ceux qui mouraient de faim, on parlait du droit de voter, non du droit de manger. Certes, ce livre est d'abord une accusation de la condition humaine; pourtant, lorsque Trotsky ajoute qu'il n'y a pas d'affinité entre l'auteur et la Révolution, que « les enseignements politiques découlent du livre à mon insu », je crains qu'il ne connaisse mal les conditions d'une création artistique : les révolutions ne se font pas toutes seules, mais les romans non plus. Ce livre n'est pas une « chronique romancée » de la révolution chinoise, parce que l'accent principal est mis sur le rapport entre les individus et une action collective, non sur l'action collective seule. La documentation des *Conquérants* est justiciable des arguments qu'avance Trotsky; mais elle seule. Il trouve que Garine se trompe; mais Staline trouve que lui, Trotsky, se trompe à son tour. Lorsque, dans sa *Vie,* on lit le poignant récit de sa chute, on oublie qu'il est marxiste, et peut-être l'oublie-t-il lui-même. L'optique du roman domine le roman. Le talent d'observation, ici, ne signifie rien : on ne rend compréhensible un bouleversement aussi complexe qu'en choisissant. Puisque Trotsky reconnaît à mes personnages la valeur de symboles sociaux, nous pouvons discuter maintenant de l'essentiel.

Il serait absurde de contester la valeur du marxisme en tant que doctrine révolutionnaire. Mais une *action* marxiste n'est possible qu'en fonction d'une conscience de classe. Tant que des masses professent qu'il est plus important de sauver son âme que d'être heureux et libre; tant qu'elles croient — comme en Chine — que toute vie est provisoire et sert de préparation à une vie meilleure dont la violence éloigne à jamais, la conscience de classe reste secondaire. Elle doit être éveillée, puis développée : il faut donc utiliser Hong.

Mais comme la victoire des **armées** mercenaires qui marchent sur Canton supprimera **toute** prédication, toute

organisation du prolétariat, toute formation révolutionnaire, il faut d'abord être vainqueur. Donc, utilisons
Tcheng-Daï.

« Attention! dit le marxiste. Nous ne faisons pas la
révolution pour la révolution, mais la révolution pour
le prolétariat. Avant tout, il faut préserver ce prolétariat
naissant, presque en devenir. Sinon, notre révolution
n'a pas de sens. » Comment remettre entre les mains
d'un prolétariat chinois peu nombreux, mal organisé,
faiblement conscient de lui-même, un pouvoir qu'il ne
saurait prendre tout seul; comment retrouver — entre
les ouvriers et une autre classe — le lien puissant que
fut en Russie la revendication des terres? Où trouver
le besoin le plus profond des masses? Depuis six ans,
l'Internationale a donné à cette question des réponses
successives; en 1925, une passion générale simplifie
beaucoup le problème : la haine de l'Angleterre. La
lutte contre Hongkong commence.

Ce n'est pas essentiellement « pour briser la domination anglaise dans la Chine méridionale » que s'exerce
le blocus de Hongkong : Hongkong rasée, la cou-
ronne britannique aurait d'autres moyens d'action. Il
s'agit surtout, pour les communistes, de montrer leur
efficacité. Ils frappent à la tête, et Hongkong est la
tête parce que la Chine entière la regarde. Borodine et
Garine ont donc besoin d'armes. Ces armes, ils les
reçoivent de l'Internationale, *qui ordonne l'accord avec le
Kuomintang,* avec Tcheng-Daï, — ou les achètent. S'ils
les achètent, c'est avec l'argent fourni par le pétrole de
l'Internationale, ou avec celui du Kuomintang; que
peut faire Borodine, sinon collaborer avec celui-ci? Je
croyais avoir rendu sensible, dans *Les Conquérants,* la
dépendance dans laquelle Borodine se trouve à l'égard
du Kuomintang, d'une part, de l'Internationale, de l'autre.

J'entends bien que le véritable adversaire de Trotsky,
c'est précisément l'Internationale. Il attaque moins
Garine que Borodine, moins Borodine que Staline.
Romancier, je prends Canton comme elle m'est donnée.
La force de l'Internationale, en Chine, en 1925 n'existait que dans des limites très précises : celles de la
guerre. Le Komintern ne *disposait* pas de l'École des

Cadets, formée de volontaires des grandes familles, dirigée par Tchang-Kaï-Chek, et où les cadets tirèrent pendant une revue sur Gallen : quant à la sympathie des masses, il ne la possédait qu'en tant qu'animateur de la guerre. Que l'Internationale parle de soviets et non de canons, ces masses suivent Tcheng-Daï [1] : Gandhi a tout de même plus d'action sur la foule de l'Inde que le camarade Roy.

Il faut donc gagner du temps, convaincre ces masses en leur montrant avec évidence où se trouvent leurs intérêts réels : l'Internationale accepte de fondre dans le Kuomintang le parti communiste chinois.

Et Trotsky triomphe : « Vous faites fusiller Hong, et vous vous mettez entre les mains de Tcheng-Daï dont vous êtes l'arme de choix. » Il oublie que si Garine est l'arme de choix de Tcheng-Daï, c'est surtout pour le faire assassiner, et que Borodine, en laissant passer le décret contre les terroristes, sait que l'une de ses conséquences sera précisément la mort de Tcheng-Daï. Quant à Hong, il représente, non le prolétariat, *mais l'anarchie;* il n'a jamais travaillé; agissant d'abord en liaison avec les bolcheviks, il les attaque et n'accepte de directives que les siennes propres. Il s'agit de le convaincre? Hong n'est pas susceptible d'être convaincu. Il se fiche de l'avenir du prolétariat; le prolétariat ne l'intéresse qu'héroïque. Lui aussi est Chinois et croit à la justice — comme Tcheng-Daï, mais pas à la même. Son but est éthique, non politique — et sans espoir. Je sais ce qu'il y a de prenant dans cette figure, dans sa résolution, dans sa pureté sauvage; mais je ne puis oublier que lorsque Lénine et Trotsky ont rencontré des Hong, ils ont chargé la Tchéka de leurs rapports avec eux.

Mais l'Internationale sait qu'il lui faut agir vite : son accord avec le Kuomintang, de victoire en victoire, ressemble assez à ces histoires où des affamés se brûlent pour ne pas s'endormir, craignant d'être tués par leurs

---

1. La comparaison qu'établit Trotsky entre les mencheviks et le Kuomintang est saisissante; mais les mencheviks menaient une guerre impopulaire, les cantonais une guerre d'enthousiasme. (Une révolution en France au début de 1918 eût pu être *tentée;* en août 1914, la tentative même eût été sans espoir.) *Note d'André Malraux.*

compagnons dès que viendra le sommeil. Parviendra-t-elle à temps à créer une conscience de classe et un programme qui lui permettent d'écraser l'aile droite du Kuomintang, ou, au contraire, l'aile droite deviendra-t-elle assez bien armée pour détruire l'Internationale? Qu'il y ait là ce que Trotsky appelle de l'aventurisme, c'est bien certain (aventurisme que nous allons rencontrer bientôt, plus compliqué encore; en Indochine et aux Indes, situation devant laquelle se seront trouvés huit cents millions d'hommes). Mais que peut faire le révolutionnaire qui se refuse à cet aventurisme? « L'essentiel, dit Trotsky, était de ne mélanger ni les cadres ni les drapeaux. »

L'Internationale pouvait-elle conserver des organisations autonomes? Je pense qu'elle n'accepta pas de gaieté de cœur, quoi qu'elle en dise, la fusion du Parti communiste chinois et du Kuomintang. [...] Le refus de la fusion eût déclenché aussitôt le combat. Les communistes furent battus lorsqu'ils possédaient leur propre armée, ils l'eussent été lorsqu'ils ne la possédaient pas encore. Le combat eût été à Canton ce qu'il fut à Shanghaï : cadets contre milice syndicale, et Tchang-Kaï-Chek n'eût même pas eu à combattre ensuite l'armée rouge. Allons plus loin. Le pouvoir saisi (« Si nous avions eu une chance sur quatre de durer un an, dit aujourd'hui Borodine, nous l'aurions tentée »), le Kuomintang eût vraisemblablement bloqué Canton, qu'un chômage écrasant eût vidée, comme il le fera plus tard de Han-kéou.

[...] Je ne puis d'ailleurs qu'admirer le rôle héroïque, au sens le plus réaliste du mot, que Trotsky réclame du prolétariat. Mais je dois le confronter aux faits, constater qu'une Tchéka plus forte (le Kuomintang contrôlait la propagande, non les services secrets) eût été, à partir de Han-kéou, une solution possible. En faisant à mes personnages l'honneur de les tenir pour des symboles, Trotsky les sort de la durée, ma défense est de les y faire rentrer[2].

---

2. Trotsky écrivit un nouvel article pour répondre à cette réponse de Malraux. On le trouvera, avec le premier, dans *La Révolution permanente* (collection *Idées,* Gallimard),... mais on n'y trouvera pas le texte de Malraux reproduit ci-dessus.

Drieu La Rochelle
Malraux, l'homme nouveau

La Voie royale ne nous montre pas un autre thème ni un autre procédé que *Les Conquérants*. Mais une main qui s'était montrée ferme dès l'abord se montre encore plus ferme. Le récit qui traite une matière plus étroite, il est vrai — une aventure isolée contre la nature, au lieu d'une aventure emmêlée à une foule — la traite avec plus de force et de prévision encore. Deux ou trois grandes scènes se dégagent, avec des traits puissants, inoubliables.

Quant au style, il est plus violent et plus cassant que jamais. Si la conception de l'ensemble du livre et de chaque page témoigne d'une netteté de conception et de dessin encore plus mordante, chaque phrase, bien que plus fortement emboutie à la précédente et à la suivante, est encore un éclat. Malraux ne va pas vers un but, d'une phrase à l'autre ; chaque phrase capte tout son élan et le résout momentanément. Chaque phrase est un morceau de métal que la concision a rendu horriblement tranchant, mais qui souvent frappe et déchire l'esprit du lecteur sans le percuter au point décisif.

Telle pensée, tel style. Malraux a une expérience et une pensée. Cette expérience et cette pensée se cherchent constamment, elles veulent s'atteindre, elles se serrent de plus en plus près. La pensée de Malraux est fiévreuse, violente, obscure ; mais son expérience est claire et ordonnée. On pourrait dire que ses deux romans sont obscurs — comme son essai : *La Tentation de l'Occident,* l'est d'une autre manière, plus subtile — si ces romans n'étaient fondés sur la base solide et nette de son expérience. Par là-dessus, sa pensée peut s'agiter, pétarader,

Drieu La Rochelle, *La Nouvelle Revue française,* décembre 1930.
Ce texte a été repris dans *Drieu La Rochelle : Sur les Écrivains* (© Éd. Gallimard, 1964), pp. 281-283.

faire des éclairs et de la fumée : reste la base, un récit qui retrace des faits.

Malraux, comme la plupart des Français, n'a point d'invention. Mais son imagination s'anime sur les faits. On a le sentiment qu'il ne peut guère s'écarter de faits qu'il a connus. Les péripéties de ses livres ont ce caractère fruste qui ne trompe pas, qui témoigne d'un transfert direct de la réalité dans le récit. Mais à travers une série brève et rapide d'événements, l'art de Malraux est de faire saillir avec un relief saisissant les postulats de son tempérament intellectuel. Une seule ligne d'événements et, foulant cette ligne, un seul personnage, un héros. Ce héros, ce n'est pas Malraux, c'est la figuration mythique de son moi. Plus sublime et plus concret que lui. Malraux tient là la faculté capitale du poète et du romancier. Il pose un héros. Sondez votre mémoire, vous y trouverez les plus grands, flanqués de leurs héros : Byron et Manfred, Stendhal et Julien Sorel, Balzac et Rastignac, Dostoïevsky et Stavroguine, etc.

Malraux a posé Garine, il vient de poser Perken. Le procédé de Malraux est unilinéaire, mais il est profond.

Mais est-il si unilinéaire ? Ne cessera-t-il pas de l'être ? N'y a-t-il pas un certain nombre de personnages secondaires qui tendent à s'opposer au héros ou à multiplier ses aspects ?

Dans *Les Conquérants,* en face de Garine, il y a Tcheng-Daï, et il y a aussi Hong ; dans *La Voie royale,* à côté de Perken, il y a Claude qui vivra dans les romans suivants, et il y a Grabot. Je ne crois pas néanmoins que Malraux fasse des romans à action complexe, fournis de plusieurs personnalités égales.

Le propre de son génie est de faire sentir d'abord la puissance d'absorption d'un moi solitaire — il aura toujours un protagoniste écrasant — et ensuite la durée de ce moi en action.

Et même, sur ce deuxième point, on ne fait que pressentir qu'il en sera ainsi dans le cycle des *Puissances du Désert* (pour le personnage de Claude), mais pour le moment, Malraux ne nous donne pas encore cette durée. Son récit, qui n'est pas exempt d'impatience, prend son héros au moment où, dans la suite de ses jours, va s'épanouir la conséquence de longs efforts auxquels il ne fait qu'une allusion sommairement rétrospective.

Malraux:

Mais nul doute que Malraux, de ce côté-là, ne s'épanouisse au-delà de ce point d'arrêt qui n'est que momentané.

Il ne peut pas s'en tenir à son procédé actuel, qui est de nous montrer un héros, toujours seul, débouchant d'un couloir obscur, sur un but fulgurant. Il n'y a pas là de progression. Il n'y a pas de conflit entre ce moi et d'autres moi. Pour le moment, l'univers de Malraux est l'univers d'un solitaire chez qui une trop prompte aventure sépare seule l'immobilité de la mort. Il montre le moi, seul, en lutte contre la nature, contre la foule, contre une masse d'ennemis, « contre Dieu », doit-il dire, mais non pas contre d'autres moi. Est-ce humain?

Certes, il n'y a pas que le roman-drame, le roman à action complexe, où s'affrontent deux ou plusieurs moi égaux. Mais une chose est indispensable : le conflit. Ce conflit peut n'être pas extériorisé, il peut rester intérieur. Mais alors, il doit se manifester dans la durée : le héros découvre successivement les éléments d'une contradiction intime. En tout cas, il faut que nous ayons un conflit, celui-ci ou celui-là. *Le Rouge et le Noir* ou *Les Karamazov.*

1933. *La Condition humaine* obtient en décembre le prix Goncourt, mais dès sa parution au printemps dans les livraisons mensuelles de la N.R.F., le roman a été reconnu d'une importance capitale. On le commente dans le monde entier.

Ilya Ehrenbourg
La Condition humaine,
vue par un écrivain d'U.R.S.S.

La Chine n'est pour Malraux qu'un incident historique (ou géographique). Ce qui l'intéresse, ce n'est pas

Ce texte, écrit en mai 1933, a été publié dans *Vus par un écrivain d'U.R.S.S.,* © Éd. Gallimard, 1934.

la ville de Shanghaï, mais ce qui est arrivé à quatre ou cinq hommes, dans cette ville, au printemps de 1927. Là est la force et la faiblesse de son roman. Ce n'est pas un livre sur la révolution ni une épopée, c'est un journal intime, des sténogrammes de ses discussions intérieures, une radioscopie de lui-même fragmenté en plusieurs héros.

Shanghaï, comme on le sait, se trouve en Chine, mais dans le livre de Malraux, il n'y a presque pas de Chinois. [...]

Ces figurants sont à un tel point timides et insignifiants qu'une question se pose parfois : « Qu'ont à faire ici les bombes, les syndicats et la prise du pouvoir?... » Les livres sur la Révolution sont des livres difficiles. Dans la mesure où la vie y demeure anonyme et où la foule apparaît comme l'unique personnage, ils tournent au schéma, à l'affiche ou, dans le meilleur cas, à la chronique. Nous connaissons dans la littérature soviétique bon nombre de ces œuvres. Nous nous rappelons encore bien les événements qui y sont décrits, mais la relation qu'on en fait n'éveille en nous qu'une profonde indifférence : dans ces livres, les hommes sont absents.

La faiblesse de Malraux est ailleurs. Ses personnages vivent et nous souffrons avec eux, nous souffrons parce qu'ils souffrent, mais rien ne nous fait sentir la nécessité d'une telle vie et de telles souffrances. Isolés du monde dans lequel ils vivent, ces héros nous apparaissent comme des romantiques exaltés. La Révolution qu'a vécu un grand pays devient l'histoire d'un groupe de conspirateurs. Ces conspirateurs savent mourir héroïquement, mais, dès les premières pages du roman, il est clair qu'ils doivent mourir. Ils raisonnent énormément... Certes, ils s'occupent beaucoup de distribuer des fusils, mais il est difficile de dire à quoi leur servent ces fusils. Une petite maison aux fenêtres éclairées, autour d'elle — la nuit. Quand la révolution est vaincue, ce n'est ni la défaite d'une classe ni même la défaite d'un parti, c'est un effet de la fatalité qui pèse sur le métis Kyo ou sur le Russe Katow. Quant aux fusils, personne ne s'en sert. [...]

Des millions d'hommes se sont battus pour arracher leur droit élémentaire à la condition humaine. Cette lutte a inspiré Malraux, mais il a écrit un livre non sur la lutte elle-même, mais sur l'état de sa propre inspiration. Quand je parle de la source de pathétique profondément humain qui jaillit du roman de Malraux, je n'oublie aucunement combien cette notion est discutable et obscure. Les représentants de la réaction militante, les amateurs d'encensoirs et de drapeaux, les catholiques, les fascistes et les fanatiques des pavillons de banlieue avec massifs de lilas ont tous, depuis longtemps, monopolisé le droit à « l'humain ». Ils reprochent à la littérature révolutionnaire de ne pas vouloir remplacer les hommes vivants par des équations, des rouages de machines et des mots d'ordre portant culottes. Le temps n'est-il pas venu de dire ouvertement que la défense du principe humain, de la plénitude des sentiments, de l'héroïque, de l'oubli de soi, de l'amour pur et de la victoire remportée sur la peur et la mort, est aujourd'hui indissolublement liée avec la lutte contre ce vieux monde qui, dans le livre de Malraux, est représenté par le bandit colonial Ferral, le Russe blanc König et les bouchers de Tchang-Kaï-Chek ? C'est au nom de « l'humain » que sont écrits les romans du catholique Mauriac et de « l'humaniste » Duhamel. Mais, dans ces romans-là, il n'y a pas d'hommes — c'est une vie posthume, c'est un grouillement de parasites et un réseau ténu de fils attachés aux articulations de marionnettes. Des hommes, il y en a dans le roman de Malraux, et ces hommes sont des révolutionnaires. [...]

Les esthètes, enthousiasmés du roman de Malraux, s'efforcent de convaincre et l'auteur et les lecteurs et eux-mêmes que la Révolution n'est dans le livre que de l'exotisme occasionnel, qu'il n'est question que de solitude, de nostalgie, de désespoir. Récemment, Malraux a pris part à un meeting de protestation contre la politique coloniale en Indochine.

Il y a parlé de la lâcheté des Ferral. Il y a parlé aussi de ces coolies qui combattent pour la « condition humaine ». C'est la réponse de l'écrivain aux nouvelles séductions exercées par la complexité. Et c'est encore un nouveau témoignage : André Malraux ne fera pas route avec les Gisors.

Jean Guéhenno
[*Le tragique et le quotidien*]

... Tout le tragique du livre tient ainsi dans les efforts que font quelques héros, Tchen, Katow, Kyo, pour échapper à la condition humaine, se dépasser eux-mêmes, de quelque manière enfin devenir dieux. La révolution est à la fois l'occasion et le résultat de ce prodigieux effort. Et c'est là que je crois voir la vraie grandeur, mais aussi les limites de cette œuvre. Tous les personnages qui y apparaissent sont de quelque manière exceptionnels, et l'on y apprend peut-être plutôt comment on devrait vivre que comment on vit.

Votre livre, cher Malraux, nous force à beaucoup réfléchir. Si je ne songe qu'à la frénésie de ce temps, si je me laisse prendre par elle, je suis bien tenté de vous donner raison, de penser de la condition humaine précisément ce que vous en pensez. Je nous vois pris dans mille débats monstrueux par rapport auxquels, bon gré mal gré, nous nous définissons. Mais il arrive que las de cette frénésie, de ce fracas assourdissant que fait le monde, j'adresse à je ne sais quelles puissances inconnues, une prière pour qu'elles m'accordent un peu de silence, le temps de vivre en moi un moment. Et je ferme les yeux. Et j'écoute. Je pense à notre condition, et c'est quelque chose qui me fait mal, qui me donne envie de pleurer beaucoup et de sourire un peu. Ce sourire, Malraux, c'est notre victoire. Vous souvenez-vous de cet « héroïsme discret » dont parle Nietzsche? Eh bien, contre Nietzsche qui le réservait à ses surhommes, contre vous peut-être, je pense que presque tous les hommes finissent par être ces héros discrets. Je pense à notre vie comme à une chose plus atroce encore que vous ne dites. Vous la représentez comme un carnage. Et vous avez raison. Mais c'est un carnage plus effroyable que celui que vous peignez, parce que c'est un **carnage**

JEAN GUÉHENNO, © *Europe*, 15 juin 1933.

sans carnage, un carnage souvent à peine visible et affreusement silencieux. J'en suis venu à penser que la vie quotidienne des hommes médiocres est bien plus héroïque que la vie des héros. Les héros ont de la chance; ils ont le recours de la bombe, du revolver, de l'opium, de l'aventure. La plupart des hommes, non. Rien. Rien que soi vraiment en quoi il faut, coûte que coûte, trouver des ressources. La condition humaine? Une bataille perdue d'avance qu'il faut livrer pourtant tous les jours comme si on devait la gagner. Vous avez raison, les hommes ne peuvent supporter la condition qui leur est faite, mais ils la supportent tout de même. Les actions violentes assurent à vos héros une sorte d'absence. C'est être absent de soi-même que de tirer si souvent et si aisément le revolver. Mais la plupart des hommes n'ont pas de revolver. Il leur faut rester en soi, ou si à la faveur de quelque aventure, ils en sont un instant sortis, rentrer en soi. Le plus tragique est ce fatal retour à soi.

J'écris ces choses, et j'ai un peu honte en éprouvant tout d'un coup comme je suis déjà vieux. Vous, Malraux, pensez comme moi sans doute. Mais vous avez décidé de ne pas le dire. Vous avez voulu que votre livre fût une grande leçon de volonté. Ce que l'un de vos héros dit du marxisme, je gage que vous le diriez volontiers de la vie elle-même : « *Il y a dans le marxisme le sens d'une fatalité et l'exaltation d'une volonté. Chaque fois que la fatalité passe avant la volonté, je me méfie.* » Et vous pensez qu'à une époque aussi délabrée que la nôtre, les seuls livres qui vaillent sont ceux qui ajoutent à l'énergie humaine. Ce que vous semblez ignorer, vous l'ignorez par préméditation. Prenez garde cependant. Je me méfie avec vous. Mais n'acceptons pas d'être les dupes de nos aventures privilégiées. Quant à moi, j'ai décidé de ne pas « faire le Dieu », comme disait Pascal. Non pas pour les raisons de Pascal, mais plutôt contre elles, pour des raisons tout humaines. Homme médiocre, lié par ma chair et mon esprit à des hommes aussi médiocres que moi-même, je sais que tout ce que nous avons à vaincre est cette médiocrité. Mais impossible de le faire si nous ne demeurons conscients d'elle. La solution sera médiocre, je le sais, cher Malraux. L'accepter est peut-être le plus grand courage.

Enfin je ne veux pas qu'aucun romantisme nous console, mais je n'accepte pas non plus qu'aucun romantisme nous désole. J'ai quelquefois pensé, écrit même que nous étions uniquement ces hommes seuls que vous croyez aussi. Je me demande maintenant si ce n'était pas céder à je ne sais quel romantisme chrétien. Je crois à présent que la communion des hommes ne les définit pas moins que leur solitude. Nous ne sommes peut-être que les autres, les diverses sociétés qu'ils font en nous. Notre vie c'est la vie des autres, et la mort des autres est notre mort, nous cessons d'être à mesure que la communion devient moins nombreuse et moins dense. Nous serions déraisonnables de refuser la joie qu'il y a à sentir que les gens qui s'aiment peuvent se faire un peu de bien...

Robert Brasillach
« Le goût malsain de l'héroïsme »

L'héroïsme agit sur les personnages de M. Malraux à la manière d'une drogue. Héroïsme sans autre raison que lui-même, héroïsme qui ne sert qu'à l'individu, il se mêle merveilleusement au goût du sang et des supplices, il y a en lui toute une odeur charnelle puissante et dangereuse. Les personnages s'enivrent de leur héroïsme et y trouvent une exaltation comparable à la volupté de la chair comblée. Ses admirateurs eux-mêmes finissent par concéder aujourd'hui (ils y ont mis le temps) que Malraux donne aux tortures une valeur « métaphysique ». [...]

C'est le sang qui est le maître de M. André Malraux. C'est lui qui explique sa fureur sensuelle comme sa fureur destructrice. Et là est le fonds de son *héroïsme*. Sans doute ceux qui ont lu *Les Conquérants* n'oublieront-ils jamais les tableaux d'horreur qui terminent le livre, les supplices atroces et les morts auxquels on a

Robert Brasillach, *L'Action Française*, 10 août 1933.

coupé les paupières. *La Condition humaine* finit par des
pages aussi affreuses, bien que l'auteur nous épargne la
vision des bûchers. Mais lorsque son héros donne
héroïquement la tablette de cyanure qu'il porte toujours
sur lui à deux misérables compagnons, si la scène est
poignante et magnifique, presque « humaine » en son
apparence, pour une fois, nous ne devons pas oublier
qu'elle ne fait qu'accuser le caractère d'horreur physique
du drame. Car nous savons bien ce que va souffrir le
malheureux. M. André Malraux ne veut pas que nous
l'ignorions : l'héroïsme, chez lui, ne va jamais sans une
complaisance bien terrible pour la souffrance et pour
la mort.

Dans cette complaisance, ses personnages trouvent un
plaisir qui, il faut le dire, est pour eux totalement semblable au plaisir que peut leur donner l'amour physique.
Souvent, ces hommes, qu'on veut donner en modèle,
nous apparaissent comme l'incarnation même de ce
qu'on a nommé le *sadisme*. Car, bien que hardi en ses
propos, M. André Malraux ne dépeint jamais la joie
sensuelle, ou même simplement le plaisir. Il ne le
dépeint que lié pour jamais à la cruauté. Et bien plus
que des manuels d'héroïsme, que des images de l'homme,
ses livres apparaîtront en définitive comme des manuels
de cruauté. Les jeunes Allemands qui vont nus à l'assaut
dans la lumière matinale et se grisent du goût du sang,
paraissent, à côté de ses héros, des êtres simples et
presque normaux. Car au moins leur passion est-elle
vivante, leur abominable joie est-elle une joie. Les personnages de M. Malraux, dans leur délectation du sang
et de la mort, ne trouvent qu'une amertume affreuse
qui finit d'ailleurs par leur donner une sorte de grandeur infernale — mais qu'on ne prétende pas que
c'est là « la condition humaine ».

Ces livres obscurs, ces livres souvent illisibles, sont
parmi les plus curieux de notre temps. Ils nous montrent
ce que peut donner une sorte de froide fureur acharnée
contre soi, tout entière tournée vers le goût de la
souffrance. Une très lucide intelligence guide les héros —
qui, tous, se ressemblent par la même terrible passion
et le même terrible désenchantement — et nous permet,
après des pages brumeuses et compactes, de trouver
soudain des épisodes admirables, durs, sanglants et

ténébreux, pareils aux éclats de logique et de sensualité des drames de Webster. Mais si on peut littérairement reprocher à ces livres de ne guère offrir que de beaux épisodes dans un ensemble un peu décourageant, les reproches que l'on fera à ce qui les mène à leur fin sont plus graves. Ne nous laissons pas prendre à certain ton de hauteur, à certain orgueil désespéré, à une *allure,* qui ont vraiment un charme pernicieux et même de la grandeur. Mais grandeur inhumaine, grandeur barbare. Ne nous laissons pas prendre à tout ce qui peut, chez André Malraux, forcer la sympathie intellectuelle. Toute vertu peut se perdre en un vice qui lui est apparenté : nous savons tous à quels excès amène la charité déviée de son but, troublée dès sa source. La vertu de M. Malraux est une autre vertu : elle n'en est pas moins déviée, et surtout pas moins troublée. Et peut-être pourrait-on dire qu'il n'a jamais fait que mettre en scène dans ses livres *le goût malsain de l'héroïsme.*

André Malraux
Réponse à Robert Brasillach

« ... J'ai publié deux articles sur Sade, l'un en 1921, l'autre en 1927 ou 28, tous deux *contre le bateau* Sade. Cela dit, j'ai assez le goût de la subtilité et de la rigueur dans l'esprit pour apprécier votre critique, qui, vérité à part, est excellente. Mais ma technique est beaucoup plus préméditée que vous ne le croyez, et mon éthique beaucoup moins ; je n'ai pas eu à choisir la sauvagerie, car je l'ai rencontrée. Tout homme tire ses valeurs de la vie qui lui a été donnée, et je revendique les unes et l'autre, non comme des objets de complaisance, mais comme une assise. Je ne pense pas par plaisir à ce que vous appelez « le sang », mais parce

ANDRÉ MALRAUX, lettre du 23 août 1933.
Ces deux textes figurent dans les *Œuvres complètes de Robert Brasillach,* © Club de l'Honnête Homme, tome VII.

qu'il m'est nécessaire que cela *d'abord* soit pensé. Assez d'écrivains pensent à partir de rien. »

Edmond Jaloux
« Une puissance extraordinaire »

L'esprit de M. Malraux, je le retrouve dans ses personnages et dans leur conversation. Il était déjà présent dans *Les Conquérants* et dans *La Voie royale*, mais il s'affirme maintenant avec une puissance extraordinaire dans *La Condition humaine.* Dans une partie du livre, le vieux Gisors, professeur en Chine, est amené à s'expliquer vis-à-vis de lui-même au sujet de son fils Kyo qu'il a eu d'une Japonaise et du jeune Tchen qu'il a en partie élevé et qui a pour lui le respect qu'on a pour son maître et qui est une chose profondément chinoise. Dans ce chapitre M. André Malraux indique assez bien ce qu'il attend de l'homme et en particulier de ses héros : « *Tout le précipitait à l'action politique,* dit-il (il s'agit de Tchen), *l'espoir d'un monde différent, la possibilité de manger, quoique misérablement (il était naturellement austère, peut-être par orgueil), la satisfaction de ses haines, de sa pensée, de son caractère. Elle donnait un sens à sa solitude. Mais chez Kyo, tout était plus simple. Le sens héroïque lui avait été donné comme une discipline, non comme une justification de la vie. Il n'était pas inquiet. Sa vie avait un sens et il le connaissait : donner à chacun de ces hommes que la famine, en ce moment même, faisait mourir comme une peste lente, la possession de sa propre dignité. Il était des leurs : ils avaient les mêmes ennemis. Métis, hors caste, dédaigné des blancs et plus encore des blanches, Kyo n'avait pas tenté de les séduire : il avait cherché les siens et les avait trouvés.* « Il « *n'y a pas de dignité possible, pas de vie réelle pour un homme* « *qui travaille douze heures par jour sans savoir pourquoi il* « *travaille.* » *Il fallait que ce travail prît un sens, devînt une patrie. Les questions individuelles ne se posaient pour Kyo que dans sa vie privée. »*

Le sujet extérieur de *La Condition humaine* est la Révolution en Chine. Le sujet profond, c'est vraiment l'état de l'homme en face de son destin. Mais en quoi cet état de l'homme est-il ici général? Chaque condition humaine n'est qu'une condition humaine. L'amour, le rêve, l'ambition, la maladie, la mort même ne se présentent pas à tous les êtres de la même façon. Non seulement parce que les circonstances sont différentes, mais surtout parce que l'attaque de l'amour, de l'ambition, du rêve, de la maladie et même de la mort s'oppose à une sorte de bloc intérieur qui est nous-mêmes et qui est l'œuvre de nos actions et de nos réactions, multipliées à l'infini par l'usage quotidien que nous faisons d'elles. *La Condition humaine* est la condition spéciale d'un type humain, particulier à M. André Malraux, que l'on retrouve dans tous ses ouvrages et que l'on pourrait appeler un aventurier intellectuel. C'est-à-dire quelqu'un qui cherche les aventures, non pas pour elles-mêmes, mais pour y découvrir sa véritable nature et pour faire des expériences qui doivent se résumer devant son esprit sous la forme de théorèmes, dans une sorte de géométrie de la pensée. Il y a déjà parfois quelque chose de cela dans les aventuriers de Joseph Conrad, bien différents par ce détail de ceux de Stevenson ou de Rudyard Kipling. Mais les aventuriers de M. Malraux sont allés plus haut encore dans la recherche d'une algèbre spirituelle, vérifiée par le drame humain. À tout moment, dans les pires excès de leurs violences, ils se retournent vers eux-mêmes, s'interrogent anxieusement, se demandent ce qui va naître en eux et quelle réponse eux-mêmes vont apporter à la question des événements. C'est une des originalités les plus curieuses de l'esprit de M. Malraux que cette création d'un homme presque nouveau en littérature, le révolutionnaire qui ne croit à la révolution que comme à un moyen et non comme à un but, comme à un instrument qui n'est bon que pour lui, d'un aventurier qui ne croit presque pas à l'aventure et qui en doute au moment même où il est mêlé à son action. Jamais la solitude fondamentale de l'être humain ne nous apparaît d'une manière aussi poignante que dans

ces pages de M. Malraux, où il nous initie à ce sentiment d'irréalité qu'éprouvent ses hommes d'action en
face du fait le plus brutal. Il se peut, en effet, que l'homme
qui prend un bock à la terrasse d'un café croie plus
profondément à la réalité de son acte que quelqu'un
qui est en train d'en assassiner un autre. Il se peut, en
effet, que l'on ne croie à la réalité que par une certaine
habitude ; et c'est pour cela que les hommes aiment leurs
habitudes plus que tout [...]

On a reproché à M. André Malraux de faire des Chinois
très peu Chinois ; à cela M. Malraux peut répondre
qu'après tout les opinions peuvent se donner libre
carrière puisque aucun Européen ne sait exactement ce
que c'est qu'un Chinois. (Quand on lit tous les jours
dans nos journaux ce que l'on dit des Anglais, des Allemands ou des Italiens, on peut relativement comprendre
qu'il ne soit pas très facile de s'assimiler l'esprit chinois.)

D'autre part, on peut prétendre aussi que les Chinois
dont parle M. Malraux appartiennent à la population
de Shanghaï, c'est-à-dire à des hommes déjà assez mêlés
aux Européens pour leur ressembler sur plus d'un point.
Il n'en est pas moins vrai que les personnages de
M. André Malraux, de quelque race qu'ils soient, se
ressemblent tous entre eux, ont des traits qui appartiennent en propre à leur auteur. Tous, ils ont ce goût
de la réflexion dans l'action qui caractérise le personnage
de l'œuvre de Malraux. Mais cette demi-ressemblance
des individus entre eux donne aux dialogues de *La Condition humaine* leur plus beau sens. Si je m'imagine, en
effet, deux personnes qui ne se ressemblent en rien, leur
dialogue sera forcément assez pauvre puisqu'elles chemi-
neront l'une et l'autre sur deux voies isolées. Mais qu'il
s'agisse de demi-frères par l'esprit et par la sensibilité,
chacun surenchérissant sur les découvertes de l'autre,
le colloque ira très loin. Je connais peu de livres où les
conversations aient autant de sens que dans *La Condition humaine*. L'amour, la cruauté, le rêve, la domination, l'action, la mort sont les objets constants des
préoccupations de cette humanité. D'où ce caractère
hagard, fiévreux, saccadé que nous lui voyons et qui
nous trouble si profondément.

La force de *La Condition humaine* est de se développer
à la fois sur plusieurs plans, un plan en quelque sorte

historique, celui de la Révolution et des incidents qui en découlent : le plan purement humain, c'est-à-dire de l'observation de l'homme et qui oscille perpétuellement, ici, de l'érotisme à l'opium et à la métaphysique, et enfin un plan poétique qui est fait de l'atmosphère même de la Chine, de son étrangeté, de ses paysages, de sa férocité et de son calme si intimement unis. Il n'y a pas un de ces plans sur lequel M. André Malraux ne se montre supérieur. Une sorte de féerie naturelle — la féerie de l'auteur du *Royaume-Farfelu* — ressort d'autant mieux qu'elle le fait sur un fond de haine, de mort et d'horreur. Cette horreur est particulièrement sensible dans la sixième partie. À ce moment, Kyo a été arrêté après l'échec de la Révolution et jeté en prison. Il y a là une série de scènes qui sont parmi les plus pénibles que l'on puisse lire. Mais elles aboutissent à une des plus belles scènes de *La Condition humaine,* celle où le révolutionnaire russe Katow, qui a sur lui du cyanure de potassium et qui est condamné à être brûlé vif, donne le poison à des camarades condamnés comme lui et accepte le supplice.

La force de M. Malraux se montre surtout dans les scènes de révolution. L'abondance des détails vrais, la brutalité des éclairages, l'incohérence des gestes, *l'ignorance où l'on est touchant les choses et les conséquences,* tout cela est rendu avec une véritable maîtrise, bien qu'on ait, à certains moments, l'impression d'assister à un film plutôt qu'à la réalité. Mais il se peut que de plus en plus, à mesure que l'on va au cinéma, le cinéma envahisse la vie et que les hommes aient davantage de peine à dissocier les deux réalités superposées. À côté de ces scènes brutales et puissantes, nous trouvons tout d'un coup une sorte de Chine éternelle avec ses lacs couverts de champs de nénuphars, ses pavillons abandonnés aux cornes vermoulues, ses paysans qui passent en barque ; ou bien cette extraordinaire rue chinoise : « *Malgré les soldats et les Unions ouvrières, au fond d'échoppes, les médecins aux crapauds-enseignes, les marchands d'herbes et de monstres, les écrivains publics, les jeteurs de sorts, les astrologues, les diseurs de bonne aventure continuaient leur métier lunaire dans la lumière trouble où disparaissaient les taches de sang.* » Le lien qui unit entre elles des parties si diverses est fait par l'intelligence même de M. André

Malraux, par cette méditation incessante et profonde qui forme le soubassement du livre.

François Mauriac
« Prix Goncourt »

Imaginez un homme dressé dès son adolescence contre les lois, et pour qui vivre c'est s'opposer; imaginez-le se jetant, dès sa vingtième année, dans l'agitation révolutionnaire; non qu'il en espère rien (il est à jamais désespéré) mais il ne prend conscience de soi-même que dans cette insurrection de tout son être. Agir dangereusement, agir pour agir, est à ses yeux, entre toutes les méthodes d'évasion, celle qui d'abord le sollicite. On ne détient jamais trop d'armes contre le désespoir; on n'ouvrira jamais assez de portes de sorties pour échapper à ce monde étouffant.

Mais il en est une entre toutes, que sans doute il préfère : rien ne le délivre plus sûrement que d'écrire. Il appartient à cette espèce d'écrivains dont l'œuvre épouse étroitement la vie. Ce n'est pas assez de dire qu'elle la reflète : son œuvre c'est sa vie.

Autant qu'il multiplie les personnages dans un roman, chacun de ces désespérés lucides l'exprime tout entier. Ils ne diffèrent les uns des autres que par le moyen qu'ils choisissent pour échapper au réel : terrorisme, amour, érotisme, drogue, aventures... Mais nous reconnaissons chez tous le même visage convulsé — ce visage que j'ai connu à dix-huit ans, plein de feu, magnifique d'intelligence, mais déjà marqué d'une réprobation mystérieuse.

Or, ce Malraux, bien avant que le Prix Goncourt l'eût désigné à l'admiration des foules, avait atteint sans effort la première place. Car nous vivons dans une société étrange; elle est vieille, elle s'ennuie, elle par-

François Mauriac, *L'Écho de Paris*, 16 décembre 1933.
Ce texte a été repris dans le *Journal* de Mauriac, tome II (© édition Bernard Grasset, 1937), pp. 91 à 99.

donne à qui sait la distraire, fût-ce en lui faisant peur, en lui donnant la chair de poule. Le talent la désarme. Voilà un garçon qui, dès l'adolescence, s'est avancé vers elle, l'œil mauvais, un poignard à la main, qui a cherché en Asie l'endroit sensible pour l'atteindre, l'endroit le plus vulnérable. Et son œuvre même témoigne de l'étroite alliance que ce jeune furieux a conclue avec toutes les forces conjurées pour la ruine du vieux monde. Mais quoi! Il a du talent; il a plus de talent qu'aucun garçon de son âge. Qu'on s'en indigne ou qu'on l'approuve, c'est un fait qu'en l'an de grâce 1933 un beau livre couvre tout. Est-ce folle imprudence de la part d'une civilisation qui ne réagit même plus pour se défendre? Cela n'est pas sûr. On pourrait plutôt discerner dans cette indulgence, l'instinct profond d'une très vieille société qui dit à son enfant dressé contre elle : « Tu as beau faire; en dépit des outrages dont tu m'abreuves, tu es mien par ton intelligence, par ta culture, par ton style; tu es mien par tous les dons de l'esprit. Mon héritage te colle à la peau; en vain tu t'inities aux mystères de l'Asie, tu n'arracheras pas de toi mon esprit dont je t'ai revêtu. Et cela est tellement vrai que moi, que tu as voulu assassiner, je dépose sur ton front une de mes plus belles couronnes, et tu l'as désirée, et tu ne la rejettes pas. Les livres que tu as écrits, en haine de moi, sont incompréhensibles pour les barbares, qui te considèrent d'un œil méfiant; mais moi, que tu hais, je me glorifie de toi, mauvais garçon, parce que tu rends témoignage à mon génie et que tu me fais honneur. Ta révolte n'intéresse pas les révoltés, mais elle enrichit mon patrimoine littéraire... »

L'intrusion de la réussite dans un destin orienté par le désespoir : spectacle passionnant pour ceux qui suivent depuis ses débuts cet étonnant Malraux. Comment ce réprouvé réagira-t-il au bonheur, — ou du moins à ce que le monde appelle bonheur? Il ne s'agit pas ici du cas vulgaire d'un anarchiste enrichi, nanti, et que l'argent sépare de ses anciens compagnons. Ce qui nous intéresse chez Malraux, c'est l'attitude intérieure.

Après tout, l'ambition est une issue possible... Un anarchiste intellectuel, même si, à un moment de sa vie, il n'a pas dédaigné l'action directe, pourquoi se refuserait-il à dominer le monde par les moyens que la

Société lui donne? Et puis, il peut toujours invoquer l'excuse de tous les réfractaires assagis, qui se trouvent soudain installés en pleine réussite : « Ces avantages que la Société me reconnaît, ces armes que la Bourgeoisie me fournit, je saurai bien les retourner contre elle... » Au vrai, ils parlent mais n'agissent pas : nous croyons que le monde finit toujours par endormir ceux qu'il a comblés. Tout notre système politique est régi par cette loi : des enragés que le pouvoir apaise.

En vérité, Malraux aurait beau jeu pour me rétorquer : Et vous? Et il est très vrai que le problème demeure le même pour l'anarchiste et pour le chrétien. En apparence, du moins. [...]

En dépit des apparences, nous croyons que l'homme chez Malraux, totalement désespéré, est plus menacé dans son idéal, par la réussite temporelle, que ne l'est le chrétien. L'homme, selon Malraux, prisonnier de son bagne matérialiste, enfermé dans un monde mécanique, sans aucune échappée sur l'éternité, ne trouve sa grandeur que dans le désespoir; et il perd avec le désespoir toute sa raison d'être. Du moment qu'il n'obéit plus à cet impératif catégorique : « Joue ta vie pour rien; voue-la à la destruction d'une société criminelle, tout en sachant que tu te sacrifies en vain et que la mort est la seule réalité... » Dès l'instant où il s'installe, où il accepte et prend ses aises, il a trahi sa loi. [...]

Pour un Malraux, nous nous demandons où est l'issue. Ce pâle Lafcadio au regard toujours errant, à la parole haletante dont, au lendemain de la guerre, nous recevions parfois la visite; cet ennemi des lois, qui avait rejeté le joug social, mais sur qui pesait, pourtant, une nécessité mystérieuse, plus écrasante qu'aucune loi humaine, le verrons-nous grimper, un à un, les échelons que le vieux monde astucieux dispose sous les pieds des jeunes conquérants; et verrons-nous, un jour, sur ce tragique visage, s'épanouir le sourire d'un homme satisfait?

Drieu La Rochelle
[*Malraux et Nietzsche*]

Malraux n'est pas nietzschéen dans le sens légendaire et imbécile du mot; il ne prône pas l'action pour l'action, il sait bien que c'est absurde et impossible comme l'art pour l'art. Il a été trop tôt curieux de la vie réelle pour ne pas flairer que le nietzschéisme mal compris aboutissait au futurisme, au dadaïsme, au surréalisme, à toutes ces impuissances tapageuses. Il a qu'on ne peut rassembler de grands moyens que si on les accorde à une complaisance passionnée, à un besoin immédiat de l'homme. Il n'y a pas d'action sans besoin et sans passion; et il n'y a pas de passion qui ne fleurisse à la fois en action et en idéologie. *Les Conquérants* tirent déjà des bordées dans le vent de Moscou.

La Condition humaine marque plus nettement cette orientation. Mais cette orientation demeure un mouvement spontané, libre, qui garde beaucoup de jeu et de battant. C'est une expérience en plein développement qui prend et donne où cela se peut. À travers ses personnages — qui sont Chinois comme les personnages de Racine étaient Grecs, c'est-à-dire foncièrement humains, foncièrement garantis par la vitalité de leur auteur — Malraux constate et précise des rapports entre sa nécessité intérieure et un certain langage répandu dans certains groupes. Il s'empare du vocabulaire communiste, mais il le plie à son propos; ce n'est pas du tout le vocabulaire communiste qui s'empare de lui. Il choisit d'une main prompte certains termes, ceux qui sont vivants en un moment, en un lieu : il présente toujours ces mots dans des individualités fortement caractérisées qui peuvent nourrir ces mots et en être nourries.

Je parlais tout à l'heure d'idéologie : j'ai bien envie

Drieu La Rochelle, *Europe nouvelle*, 26 juin 1935.

Ce texte a été repris dans *Drieu La Rochelle : Sur les écrivains* © éditions Gallimard, 1964, pp. 152 et 153.

65

de rejeter ce mot gâté. Si Malraux pouvait tomber dans les raideurs de l'idéologie, il serait marxiste. Il n'est pas marxiste. La souplesse de l'artiste rejoint celle du vrai politique : Malraux n'est pas plus marxiste que Staline. Du reste, le marxisme n'est jamais plus près de la vie que par les mérites de tels hommes — qui sauvent les meubles, non sans faire largement la part du feu. Que serait-il resté de la Révolution sans Napoléon, boucleur de Jacobins?

Pour cesser de parler en rébus, je dirai que Malraux, bourgeois libertaire jeté hors la loi, s'est trouvé à point pour exprimer, avec une fraternité supérieure, l'âme des libertaires de toutes classes qui de par le monde, à tort ou à raison, ont rassemblé et entravé leurs révoltes sous la main de Moscou.

> **1934.** Malraux et Gide vont porter à Berlin la protestation des intellectuels du monde entier contre la détention de Dimitrov innocent de l'incendie du Reichstag.
> **1935.** Malraux publie *Le Temps du mépris*. Rachel Bespaloff publie la première en date des études générales sur l'œuvre de Malraux, — qui demeure encore aujourd'hui l'une des meilleures.

René Lalou
Le Temps du mépris

Le Temps du mépris possède une force révélatrice; il exige une réaction de tout l'être; il contraint ses juges à se répartir en amis et ennemis de la poésie moderne. Car *Le Temps du mépris* que Malraux nomme une « nouvelle » est essentiellement un poème. Il l'est déjà par l'inexorable simplicité de son action : Kassner, l'intellectuel communiste, est arrêté par les nazis; muni de

René Lalou, *Les Nouvelles littéraires,* 1er juin 1935.

faux papiers, il vit neuf journées dans une cellule, assuré d'être tué si l'on découvre son identité ; un faux Kassner se dénonce ; libéré, le vrai Kassner s'échappe en avion et rejoint à Prague sa femme, Anna. Par son dépouillement même, ce sujet dépasse l'anecdote ; il met en jeu toutes les ressources de la vie intérieure. Ne nous étonnons pas qu'il ait dicté à Malraux une construction par thèmes psychologiques comme ceux du salut d'Anna ou de la « nuit du destin » et tel hymne qui célèbre l'invasion de la musique dans une âme.

Dans une préface explosive Malraux riposte à ceux qui l'accusèrent de s'être documenté trop rapidement. À mon avis, cette réponse sert surtout à préciser que *Le Temps du mépris,* utilisant le régime hitlérien comme toile de fond, offre un drame à deux personnages, « le héros et son sens de la vie ». Bien mieux que s'il avait, lui aussi, séjourné dans un camp de concentration, Malraux pouvait donc nourrir de ses propres expériences la sensibilité de Kassner. Une même obsession envoûtant l'auteur et son témoin, leur communion exalte le dynamisme lyrique du *Temps du mépris.*

Aussi ce livre de combat rappelle-t-il souvent le plus gratuit des ouvrages de Malraux, *Royaume-Farfelu.* Et non seulement par les splendides évocations de chevauchées dans les steppes ou les plaines mongoles mais parce que les deux œuvres ont pour ressort un de nos instincts profonds : la cruauté. Or, un sentiment, selon Malraux, égale en puissance la cruauté : c'est la « fraternité virile ». *Le Temps du mépris* l'atteste sans chercher à le démontrer. Car Malraux demeure fidèle à la distinction qu'il formule dans sa préface : « Ce n'est pas la passion qui détruit l'œuvre d'art, c'est la volonté de prouver. »

Passionnément, il accompagne Kassner dans cette conquête d'une « austère et puissante amitié éparse sur la terre » que trois phrases de l'aviateur suggèrent aussi bien que les remous d'une symphonie. Parce qu'il a choisi pour son idéal ce « don viril », Kassner demeure un homme jusque dans les angoisses du cachot, tel le Katow de *La Condition humaine* qui se dépouillait de son cyanure. Oui, le lyrisme, chez Malraux, naît d'une idéologie ; mais son culte de l'héroïsme réclame, autant qu'une lucide conscience, un élan charnel. Et c'est cette intime union qui fait du *Temps du mépris* un émouvant poème à la gloire de la dignité humaine.

Marcel Arland
[*Les valeurs de Malraux*]

... On retrouve dans *Le Temps du mépris* cette légende âpre, heurtée, sanglante, à laquelle Malraux nous a habitués, ce chant épique sur la souffrance, la cruauté, le goût de l'absolu, l'échec, la destinée; mais on y trouve autre chose.

Malraux était jadis hanté par sa propre vie, et par elle seule. Ses livres pouvaient apparaître comme des actes d'accusation individuels contre le destin; s'il y engageait l'humanité tout entière, c'était un peu, malgré lui, pour se constituer un cortège, et pour que son propre « échec » en prît une splendeur plus vive. Et je vois bien encore Malraux dans *Le Temps du mépris;* mais il n'y est plus seul; et ses compagnons, il ne les entraîne pas, il va parfois jusqu'à se plier à eux.

Sa vision du monde et son éthique même se sont modifiées. Il n'y a pas de lumière dans *Les Conquérants,* ni dans *La Voie royale;* il y en a davantage dans *La Condition humaine :* celle de la fraternité dans le combat et celle de la pitié. Mais ici comme là c'est la peinture d'une humanité condamnée. Non que le sentiment de cette commune misère et de cette fatalité de l'échec lui fasse rejeter toute valeur morale : on reconnaîtra une aristocratie dans la misère, celle de la lucidité, de l'héroïsme et de la générosité; mais rien enfin qui puisse délivrer du désespoir. *Le Temps du mépris* n'est pas, il me semble, un livre souriant; mais c'est un livre soudainement éclairé.

Ce que Malraux a découvert et veut exprimer dans ce livre, c'est la valeur et la beauté possible de l'homme dans ses rapports avec une femme, avec un enfant, dans

Marcel Arland, N.R.F., juillet 1935, © Éd. Gallimard.

sa fraternité avec d'autres hommes, et surtout dans sa volonté d'instaurer une humanité meilleure, un humanisme qui ne soit pas seulement de culture et de paroles.

Je ne dirai pas que cet esprit, essentiellement aristocratique et qui me paraissait jusqu'à présent essentiellement anarchique, s'est engagé dans une pure obédience communiste. Mais il doit sans doute au communisme d'avoir découvert cette notion. Et il la découvre et la révèle avec une sorte de tremblement qui est bien la chose la plus émouvante dans cette parole ordinairement si assurée, si péremptoire.

C'est par là que *Le Temps du mépris* apporte à son œuvre un élément nouveau. C'est un livre saccadé, parfois trop littéraire (comme dans les hallucinations du prisonnier), mais qui tend tout entier vers le dernier chapitre et n'est écrit que pour ce chapitre, où l'on trouve les pages les plus pleines, les plus riches d'émotion et techniquement les plus belles que Malraux ait écrites.

Il n'est guère de générations qui soient apparues avec un pessimisme plus foncier que celle à laquelle appartient Malraux, à laquelle j'appartiens aussi. Mais la dernière limite du pessimisme est l'indifférence, et rien n'était plus étranger à cette génération. Peut-on vraiment parler aujourd'hui encore de pessimisme?

« Il n'est pas d'idéal auquel nous puissions nous sacrifier », disait jadis Malraux *(La Tentation de l'Occident)*. Le redirait-il à présent? « Europe, grand cimetière... » Comme ce cimetière s'est empli de rumeurs et de chaudes présences! Il n'y a pas de vrai pessimisme là où un homme adhère à son destin, là où il s'émeut, où il découvre et respecte et tente, selon sa mesure, de faire grandir dans l'homme des éléments nobles.

« Certes, continuait Malraux aux dernières pages de *La Tentation de l'Occident,* il est une foi plus noble... Elle est amour. Je ne l'accepterai jamais. » Et l'on dira sans doute qu'aujourd'hui encore Malraux s'intéresse aux hommes dans la mesure surtout où il peut agir sur eux. Je ne suis pas sûr que cela soit tout à fait vrai. Il a fait une rencontre dont il se trouve plus ému qu'il n'attendait et dont il n'ose encore laisser se développer la résonance. Des mots comme *amour* et comme *joie,* si loin de lui qu'ils paraissent être, pourraient fort bien prendre pour lui un sens inattendu. Reste à savoir comment s'en accommoderaient cet orgueil, ce goût du commandement, cette impatience et cette inaptitude à la tendresse (non pas à l'affection, non pas au dévouement) qui donnaient jusqu'à présent à la figure de Malraux ses traits les plus accusés et non les moins séduisants.

Et l'on pourrait dire aussi que les valeurs sur lesquelles Malraux porte aujourd'hui l'accent sont des valeurs éternelles, que, par exemple, le sens de la fraternité humaine, le culte du dévouement, le besoin même de définir l'homme par ce qu'il a non pas de particulier, mais de commun avec les autres hommes, sont à la base du christianisme et ne peuvent trouver d'expression plus éclatante que dans les Évangiles ou dans certaines expériences mystiques. Mais précisément c'est l'intérêt et l'importance de l'entreprise de Malraux que de reprendre ces valeurs en dehors de toute religion, de les placer « sur terre », de leur donner par suite une justification et une vie nouvelles. On ne situera pas cette tentative à la rencontre de René et de la foi de ses pères, mais plutôt à la rencontre de René (ou de Byron) et de Michelet. Aussi bien le prix et la fécondité d'une idée ou d'une valeur morale tiennent-ils moins à leur originalité qu'à l'instant où ils apparaissent dans une vie, à la sincérité et à la passion de la voix qui les affirme, au besoin enfin que peut en avoir une époque.

Rachel Bespaloff
L'irruption de la tendresse

Le psychologique, dit Kierkegaard, est la dernière marche entre l'esthétique et le religieux. C'est bien aux confins de la poésie et de la métaphysique que, chez Malraux, se situe le domaine de l'intériorité. « Cette

RACHEL BESPALOFF, *Cheminements et Carrefours,* © Vrin, 1938 (écrit en 1936).

faculté souffrante, souterraine et révoltée » dont parle
Baudelaire — faculté poétique et métaphysique, tout
ensemble — que Malraux possède au suprême degré,
lui a permis d'explorer le labyrinthe des réalités psychologiques et de maîtriser le concret par le double
moyen de l'expression et de l'action. De là, l'extrême
densité de son œuvre, riche en contrastes, où la vision
d'une complexité foisonnante alterne avec l'intuition
de l'absolue simplicité du mystère de l'être, où la mytho-
manie de Clappique, ce « moyen de nier la vie », cette
trahison subtile, qui volatilise la réalité et la change en
pur chatoiement de nuée, est tenue en échec par le
sérieux, la fidélité à soi-même de Kyo, où le sentiment
de l'incommunicabilité, de la séparation absolue des
êtres est rédimé, surmonté dans la joie angoissée d'une
communion solennelle au sein des ténèbres.

La pensée de Malraux se ressaisit et se recueille à
mesure de sa descente dans l'enfer de la nécessité. Son
ample oscillation entre l'état d'insurrection et l'état de
recueillement la ramène de plus en plus près de son
centre — là même où l'angoisse la rend capable d'éternité. Elle vit, cette pensée, de se livrer et de se reprendre
au jeu de l'existence, elle se fortifie de ses excès. Le
trajet de l'exaltation à l'abdication de la « volonté de
déité » est jalonné de luttes, non pas d'abandons. Les
conquérants aux mains crispées sur leurs proies vives
s'effacent devant les héros patients aux mains ouvertes
faisant avec simplicité le don de plus que leur vie.
Douloureusement, l'intelligence, chez Malraux, parvenue
à l'extrême de son pouvoir, accède à la reconnaissance
de ses limites ; comme si l'exercice de la lucidité, loin
d'être une activité désintéressée, devenait, au contraire,
un témoignage de suprême intérêt, une présence immédiate à tout l'existant, une disponibilité absolue. Cette
implication de la pensée dans la souffrance des êtres,
cette préséance accordée par la pensée à quelque autre
objet qu'elle-même la sauve de son propre néant. Ici
encore, c'est le courage qui perce une issue et délie
l'homme de « l'angoisse d'être toujours étranger à ce
qu'il aime ».

L'irruption de la tendresse dans le plus étroit des
cercles de l'enfer y fait une brèche irréparable. Cette
pure faiblesse, plus puissante que la force, jette un

ample silence sur les tumultes de la haine qui déchire l'univers. Mais il fallait, auparavant, que Malraux descendît, et nous fît descendre, jusqu'au tréfonds de l'humiliation que l'homme peut infliger à l'homme, parvînt à cette « négation absolue du monde qu'elle engendre ». Douleur de Kyo blessé par May, fureur de Ferral bafoué par Valérie, écrasement d'Hemmelrich sous son destin de misère, détresse de Kyo incarcéré, « se débattant de toute sa pensée contre l'ignominie humaine », — toutes ces plaintes se répercutent à l'infini et se rejoignent en une vaste, irrépressible protestation. La sordide laideur de la situation fermée, l'atroce abjection de la créature traquée, Malraux nous interdit de les ignorer et, au moyen de son art aigu, nous en impose le spectacle jusqu'à la hantise. D'autant plus bouleversante, par contraste, la déchirante apparition de la bonté, d'autant plus mystérieuse, au plus fort de la révolte, de la haine et du dégoût, cette confiance de l'homme en l'homme, cette consolation voisine de la mort.

> Paru à la fin de **1937** en pleine guerre civile, *L'Espoir* suscita aussitôt des réactions passionnées, où le jugement politique est inséparable du jugement littéraire.

André Rousseaux
« Un anarchiste total »

M. André Malraux est un écrivain révolutionnaire, parce qu'il a besoin de la révolution pour écrire : la révolution à la mode du vingtième siècle, c'est-à-dire la guerre dans la rue, avec mitrailleuses, bombes d'avions, incendies, flaques de sang, bref, avec tout ce que les modernes machines à tuer donnent à la guerre civile d'atrocité spectaculaire. C'est là que M. André Malraux

ANDRÉ ROUSSEAUX, *Le Figaro*, 1er janvier 1938.

trouve son inspiration, non pas, j'imagine, parce qu'il a le goût du sang, ni même de la mort. Je croirais plutôt qu'il est possédé d'une inquiétude foncière, qui cherche son climat préféré dans la zone où les êtres humains sont suspendus entre la vie et la mort. La révolution lui fournit ce climat-là, en ce qu'elle lui représente un effort qui affronte la mort pour la recherche d'une vie meilleure. Quand un brasier révolutionnaire s'allume quelque part, en Chine ou en Espagne, on le voit se jeter dans ce feu, sûr qu'il y a pour lui à en tirer non un marron mais un charbon ardent : je veux dire un livre qui sente la poudre, la dynamite, le sang tiède, les âmes forcenées. Après quoi, je crois qu'il est juste d'ajouter que M. André Malraux a pour la révolution plutôt un penchant égotiste qu'un amour d'apôtre.

Un personnage des *Conquérants* disait déjà : « Ce qui me lie au Kuomintang, c'est surtout le besoin d'une victoire commune. » Du temps où il fréquentait le Kuomintang à celui où il sert le Frente Popular, je doute que M. Malraux ait beaucoup changé. Car dès les premières pages de *L'Espoir* il nous parle d'un révolutionnaire espagnol « plongé dans une confusion fervente qu'il appelait le peuple ». Singulier révolutionnaire, qui ose de tels blasphèmes à l'égard du dieu de la révolution. La vérité est que M. André Malraux est un anarchiste total, qui a fait table rase de toutes les valeurs, et qui ne croit plus qu'en lui-même. Mais à une condition : c'est de trouver à se donner des preuves de cette foi en soi. C'est à quoi l'aventure révolutionnaire doit servir.

Pour qu'elle serve bien, il ne faut pas la minimiser. Aussi M. André Malraux est-il un parfait apologiste des causes qu'il embrasse. Cela enlève malheureusement beaucoup de valeur littéraire à certains des livres qu'il écrit. D'abord l'évocation des bruits, des visions et des horreurs de la guerre, œuvre littéraire difficile entre toutes, ne lui paraît possible qu'à force d'une surabondance de coups de feu, d'explosions, de batailles vues du dehors ou du dedans, de massacres sur la terre et dans le ciel, de postes de commandements où le timbre du téléphone résonne comme la voix du destin. C'est monotone et frénétique, comme un film sur la guerre qui répéterait durant des heures les mêmes tableaux. Il semble que M. Malraux ne se croie quitte à l'égard de la guerre civile que s'il en a recommencé vingt fois la peinture haletante et saccadée.

D'autre part, il ne se croit quitte à l'égard de la révolution que quand il a mis à son service une plume de partisan. C'est la faiblesse de *L'Espoir* que de s'offrir au lecteur comme un ouvrage de propagande communiste. On y voit que tout le peuple espagnol se défend contre ses oppresseurs : ceux qui ont fraternisé avec Franco sont de « pauvres idiots ». On ne trouve, du côté des républicains, que des héros et des martyrs ; du côté des « fascistes », que des Maures, des Italiens et des Allemands. Les cadets de Tolède sont un mythe, l'Alcazar a été défendu par des gardes civils : les femmes qui y étaient enfermées ne s'y étaient pas réfugiées, elles avaient été prises comme otages. Quand Franco a bombardé Madrid, il a visé les quartiers pauvres et épargné les quartiers riches. Et cætera. Dirai-je que je ne cherche même pas, dans tout cela, à démêler le vrai du faux [1] ? Cela ne compte pas, tout simplement. C'est sans valeur aucune quant à l'histoire de la guerre d'Espagne, et cela fausse les trois quarts du roman, dont la valeur est ailleurs. Si cette construction d'une thèse tendancieuse a un intérêt, c'est de nous montrer l'un des plus fâcheux aspects du talent de M. André Malraux, qui est l'aptitude à fournir des truquages littéraires des aventures qu'il a voulu vivre. Il a transformé, un jour, une promenade aérienne au-dessus de quelques ruines dans le désert en un audacieux raid d'aviation archéologique qui aurait découvert la ville de la reine de Saba. Le démon de Malraux aime à lui faire croire à des choses qu'il aurait voulu faire. Est-ce à dire qu'il y a surtout de la littérature dans son aventure espagnole ? Nous ne prétendons pas cela. Mais il nous semble bien que le livre de cette aventure contient au moins un mot sous lequel Malraux craint qu'un vide terrible ne se creuse : et c'est pour que ce vide n'apparaisse ni à nos yeux ni aux siens que Malraux multiplie dans ce livre touffu la prolixité belliqueuse, le bluff partisan, et aussi — nous y venons — la densité pathétique. Le mot dont

---

1. En fait si Malraux ne dit pas tout, tout ce qu'il dit est exact (voir notre étude critique de *L'Espoir*, Hatier, 1970).

il s'agit est le titre même de l'ouvrage, celui que Malraux s'efforce de crier en brandissant son drapeau : l'Espoir.

[...] De quoi cette âme a-t-elle soif? La lecture de *L'Espoir* pourrait donner à penser que c'est d'une fraternité humaine, immense et réelle, dont le communisme serait apparu à M. André Malraux comme le moyen d'abord nécessaire, puis insuffisant. Ce sentiment, ou son illusion, anime de belles pages du livre, même quand son expression prend la forme d'images un peu conventionnelles, comme pour illustrer la formule célèbre : « L'union des travailleurs fera la paix des peuples. » Mais au fond, ce goût de la fraternité absolue me paraît être, chez M. André Malraux, une des passions qui dévorent les âmes où brûle une ardeur solitaire. Cet homme qui porte la révolution en lui, c'est pour lui qu'il la porte aussi. Les révolutionnaires de Malraux — je parle des protagonistes de son livre, qui sont plus ou moins ses porte-parole — rêvent d'une révolution pour la libération non des peuples, mais de l'homme même. C'est pourquoi le romancier dépouille et dénude ses personnages avec une sorte d'acharnement, les place dans la solitude (dans un avion de combat, sous un bombardement, devant un piquet d'exécution), en face de leur destin : du destin auquel ils sont voués s'ils ont le sentiment qu'ils ont une âme, et, pour tout dire, s'il y a un au-delà pour le terrible en-deçà qu'ils ont voulu.

M. André Malraux a fait dire au héros de *La Voie royale* : « Ce n'est pas pour mourir que je pense à ma mort, c'est pour vivre. » C'est une phrase qui n'aurait un sens pleinement satisfaisant que si celui qui la prononce croyait que tout n'est pas fini pour l'homme au jour de sa mort. Mais c'est une phrase très révélatrice de M. André Malraux, qui semble obsédé par l'idée de l'inutilité de la mort. La mort est une impasse à laquelle M. Malraux se bute obstinément, comme s'il avait la hantise de la vie éternelle. Au fond de l'aventure révolutionnaire, tel est peut-être, en définitive, le tête-à-tête qu'il va chercher.

Il ne s'agit pas, d'ailleurs, d'une éternité tournée vers Dieu, mais vers l'âme qui la désire. Ce que M. André Malraux a peut-être de plus sûrement révolutionnaire, c'est qu'il est un sans-Dieu. La question des rapports entre communisme et christianisme est sommairement résolue par lui sous la forme d'un christianisme d'extrême gauche satisfait de se voir épuré par les incendies d'églises. (Épuré aussi par les massacres de prêtres? De cela, M. Malraux ne souffle mot.) Non, le sentiment aigu de l'éternité, ce semble bien être pour lui le sentiment de la vie qui est encore la vie, mais qui pourrait ne plus l'être, et qui l'est alors avec une intensité accrue : dans une attaque, par exemple, quand les balles sifflent et que les corps tombent. « J'ai un copain, écrit-il, qui appelle ça le moment où les morts se mettent à chanter. » On pourrait presque dire que M. André Malraux commence à désirer de vivre quand les morts se mettent à chanter. Et ses héros, qui vivent comme lui, à l'affût de leur âme, animent ses meilleurs morceaux d'écrivain — ceux qui sonnent vrai et grand — quand leur individualisme forcené les oblige à s'abolir ainsi dans leur propre justification.

René Lalou
[*Une œuvre politique qui atteint à l'universel*]

Le livre d'André Malraux évoque la guerre civile en Espagne, de juillet 1936 à mars 1937. On sait que Malraux y combattit alors parmi les gouvernementaux, qu'il commandait la première escadrille internationale et qu'il a le droit de dédier *L'Espoir* « à [ses] camarades de la bataille de Téruel ». Jamais pourtant il n'intervient personnellement dans le récit ou ne fait de Magnin son porte-parole. À nous de deviner qu'il puisa dans ses souvenirs les détails de ces nombreuses scènes d'aviation qui ont la précision d'un compte rendu et la splendeur d'une geste épique.

C'est avec la même sobriété qu'il a retracé l'histoire de ces huit mois : aucun panorama factice; des actions

Rⁱᵉⁿᵉ Lᴀʟᴏᴜ, *Les Nouvelles littéraires*, 1ᵉʳ janvier 1938.

particulières telles que les vécurent ceux qui s'y trouvaient engagés. Cette fidélité au réel qu'eussent approuvée Stendhal et Tolstoï ne dégénère cependant pas en pointillisme servile. Dans cette apparente confusion se marquent les événements importants : l'échec de l'insurrection à Madrid et à Barcelone, la reprise de Tolède par les troupes de Franco, la lutte qui sauva Madrid, la chute de Malaga et l'exode de ses habitants, la victoire du Guadalajara que le commandant Garcia nomme le « Valmy » des républicains. *L'Espoir* n'est donc pas un documentaire mais une œuvre puissante, composée selon les rythmes du terrible duel.

En l'intitulant un roman, Malraux a voulu indiquer qu'il le peuplait de personnages que son imagination créait ou transformait en collaboration avec sa mémoire. Il nous offre, en effet, une extraordinaire variété d'individus nettement caractérisés. Et, sans doute, chacun d'eux porte-t-il une étiquette : anarchiste, démocrate, chrétien, communiste, etc... Mais ils ne tardent point à se révéler comme des êtres profondément originaux, donnant raison à Garcia : « Déduire la psychologie d'un homme de l'expression de son parti, ça me fait le même effet que si j'avais prétendu déduire la psychologie de mes Péruviens de leurs légendes religieuses! »

Que le protagoniste de *L'Espoir* soit l'ethnologue Garcia, cela montre combien Malraux dépasse le point de vue borné du partisan. Garcia est l'un de ceux qui pensent que « la plus grande force de la révolution, c'est l'espoir ». Dès le début, il a prédit qu'après la période d' « illusion lyrique », ce serait une rude tâche que d'organiser techniquement cette « apocalypse » populaire. Le passage de l'enthousiasme à la discipline, il s'impose bientôt à tous ceux que Malraux nous a dépeints. Beaucoup d'entre eux sont des intellectuels, toujours prompts à la dissidence : maintenant il ne s'agit plus d'*être* quelque chose, mais de *faire* quelque chose. La tragédie à laquelle ils participent se double d'un drame spirituel.

Dominant tous ces conflits parce qu'il en a éprouvé l'intensité, Malraux nous donne, avec *L'Espoir,* une nouvelle peinture de « la condition humaine », moins fulgurante que l'autre, fondée sur des émotions moins exclusives, atteignant vraiment à l'universel. « Transformer en conscience une expérience aussi large que possible » : Malraux rend ce fraternel service aux artistes de Madrid qui accueillaient en lui un écrivain célèbre, aux pilotes dont il fut le chef, aux paysans de Linares parmi lesquels il se sentit simplement un homme.

Robert Brasillach
[*Le désespoir de Malraux*]

L'Espoir est la peinture la plus franche et la plus nette qui soit du manque d'organisation de l'armée rouge, de ses divisions intérieures, de son foncier *désespoir*. Que m'importe, dès lors, que manquent au tableau les crimes et les destructions ? M. Malraux me prouve quelque chose de plus profond : même épurée, même sans violence, la cause révolutionnaire qu'il nous dépeint est une cause perdue. Comme lui-même a de l'énergie, de la volonté, il se plaint parfois de ce qui manque aux marxistes. Il sait qu'il faudrait de la discipline, et il n'entend que des chants, il ne voit que des élans confus, ce qu'il appelle, d'un mot saisissant, l'Apocalypse de la fraternité. Mais l'Apocalypse ne suffit pas pour construire.

Que font-ils, ces malheureux poussés par une fatalité plus forte qu'eux-mêmes ? On peut s'émouvoir, humainement, à tels tableaux : cet ancien « as » d'aviation allemand, qui n'a pas piloté depuis la guerre, qui vient s'engager chez les rouges, fier de ses vingt-sept victoires de jadis, qui est incapable d'atterrir convenablement, et qui doit renoncer à tout. Ne nous méprenons pas sur la couleur de cet épisode, qui n'a qu'une page. Il est aussi important que les scènes de torture des *Conquérants* ou de *La Condition humaine*. Le fond de M. Malraux, c'est le désespoir.

Robert Brasillach, *L'Action française*, 6 janvier 1938.
  Ce texte a été repris dans les *Œuvres complètes de Robert Brasillach*, © Club de l'Honnête Homme, tome XII, p. 136.

De toute sa sympathie, il est du côté des « insurgés » révolutionnaires, et ce vieux nom d'insurgés, c'est bien à eux qu'il faut le donner, car ils sont la minorité, les révoltés, les vaincus. Partout, le désordre, les embûches, la trahison. À Madrid même, ce n'est pas Ramon Franco qui bombarde si adroitement la ville : le commandement marxiste le laisse croire, mais André Malraux avoue qu'il s'agit de phalangistes cachés dans la capitale elle-même. Au front, encore une fois des phalangistes, qui travaillent les marxistes, les poussent à se rendre, parfois y réussissent. Le narrateur est bien obligé de saluer leur « courage ». Et nous voyons peu à peu, dans ce livre, reculer pas à pas une armée de fantômes, qui ne s'entendent sur rien, sauf sur quelques sentiments violents. Communistes, anarchistes luttent les uns contre les autres, et André Malraux, impartial et précis, nous fait leur portrait, et ne nous cache rien de leurs divisions. Il appelle son récit *L'Espoir*, et il est désespéré, il le dédie à ses camarades de Téruel, mais c'est à l'instant même où Téruel est perdu.

Louis Gillet

[*Idéal d'aristocrates, l'héroïsme peut-il être aussi l'idéal de tout un peuple?*]

L'étrange et beau livre de Malraux [...] je ne puis dire qu'il m'enchante vraiment comme œuvre d'art, ni que j'en aime beaucoup la manière incohérente et saccadée, les traits heurtés et délirants, la galopade d'images bousculées comme sur l'écran du cinéma. Le décousu systématique me fatigue; on est rompu comme après une course d'auto sur des pierrailles. Mais comment échapper à l'étrange impression de ferveur, à la fièvre aride qui se dégage de ces pages? Toute l'œuvre de Malraux consiste dans ce tourment : tenter une légende

Louis Gillet, *Les Nouvelles littéraires*, 8 janvier 1938.

du prolétariat, lui créer des raisons héroïques de vivre, un système de valeurs capables de transformer et d'ennoblir l'existence. Je crois qu'il pose la question sur son véritable terrain, et que c'est sur ce plan qu'il faut accepter la discussion. On est étonné, dans ce livre d'inspiration communiste, de l'absence totale des affaires d'intérêt, des questions de salaires, bref, de tout l'attirail de la pensée marxiste. Je crois que le mot d'économie n'est pas une seule fois prononcé. Le fameux matérialisme historique, qui est le cheval de bataille des doctrinaires du parti, est remisé à l'écurie comme une rosse poussive. Pour tous les personnages, la République n'a rien à voir avec l' « économique », avec la production ou la distribution des richesses. C'est exclusivement une question d'honneur. Il s'agit d'une révolte de la dignité humaine, d'une injure à laver ; la lutte de classes (encore un mot que Malraux n'écrit pas) n'est pas tant la conquête du pouvoir que la revanche des consciences longtemps humiliées, qui ne peuvent plus souffrir le mépris. Il ne s'agit pas d'organiser le monde et le bonheur. Il s'agit d'être nobles ou de périr.

Voilà le sujet du livre et ce qui en fait un document si étonnant. Ce n'est pas tant l'action, la peinture lamentable de l'échauffourée de Tolède, le siège dérisoire de l'Alcazar, l'assaut impuissant d'une bicoque du Moyen Age par une cohue de milices sans ordre et armées de fusils de chasse (épisode qui donne à penser sur certaines victoires du peuple, comme le 14 juillet et la prise de la Bastille). Tout l'intérêt, pendant que se déroulent ces scènes misérables, consiste dans les dialogues et dans les réflexions des chefs improvisés, et d'ailleurs incapables, qui épiloguent entre eux sur le sens de la révolution, et méditent au bord de la géhenne prête à les engloutir. Je ne distingue, malheureusement, pas très bien leurs figures ; j'aimerais à savoir quelque chose de leur histoire. J'écoute des paroles sans suite, disputées par le vent, pareilles aux lambeaux de textes agités sur les phylactères qui sortent dans les tapisseries, de la bouche des prophètes. Je voudrais connaître ce Garcia, cet Hernandez, ce Magnin, cet Attignies ; mais l'auteur s'interdit les portraits. Il écarte les cérémonies et brusque les présentations. Il reste une série de discours abstraits, des conversations de fin du monde, un entretien d'idéo logues qui s'interrogent sur la valeur de leurs mobiles et de leurs actes, sur le sens de leur vie et de la destinée.

C'est un drame spirituel, en présence de la mort, une méditation sur les fins dernières, fort analogue, en son immobilité, à celle que nous présente le groupe des capitaines du *Saint Maurice* de Greco, et exactement ce qu'en langage chrétien on appellerait faire oraison sur le problème du salut [...]

Jacques Madaule
« *L'Espoir* »

Je donne à cet article le titre même du livre qu'André Malraux vient de consacrer à l'Espagne déchirée. De quel espoir s'agit-il donc? Dans le roman de Malraux, ce n'est pas douteux. Il s'agit, pour l'Espagne républi-caine, de l'espoir de vaincre. La bataille de Teruel, au moment même où le livre paraissait en librairie, est venue témoigner que cet espoir n'était pas aussi vain que nous aurions été tentés de le croire pendant le dernier trimestre de 1937. En un sens, l'ouvrage de Malraux, dédié aux combattants de Teruel, précisément, explique et prophétise cette victoire.

Mais on a le droit de s'étonner qu'une victoire par les armes, vingt ans après l'armistice de novembre, puisse encore susciter un tel espoir, et c'est ici que le problème, pour nous, devient capital. Il y a le drame personnel de Malraux combattant volontaire dans la guerre d'Es-pagne, et qui paraît avoir trouvé sous les armes cette discipline et ce sacrifice dont il avait besoin pour accepter la vie. Ce drame, nous ne faisons que l'entrevoir, et il ne présente pas l'intérêt général de l'autre, qui est celui du peuple espagnol.

De cette Espagne Malraux ne nous a montré qu'un seul côté: celui qu'il connaît, l'Espagne gouvernemen-tale. Et de cette moitié de l'Espagne, il néglige encore

Jacques Madaule, *L'Aube,* 25 janvier 1938.

la sombre violence des massacres, l'ivresse du feu et du sang, le déchaînement de haines féroces dont elle fut toute secouée au début de la rébellion militaire. Sauf une nuit, sur le front du Tage, où l'un des héros du livre s'entretient avec des paysans qui ont brûlé leur église. Et ce qu'il a entendu, cette nuit-là, c'est la voix sans âge, venue du fond des siècles, de plus loin que les Arabes, les Romains et les Carthaginois, du petit peuple espagnol. Ce sont les gens de Virtathe, ceux de Numance, et ceux de Saragosse en 1809. Ils ont brûlé leur église, et sans doute tué leur curé. Pourtant celui qui parle est croyant. Il rêve d'une obscure et profonde communion entre le Christ et *le peuple* d'Espagne.

Voilà le grand mot lâché, qu'il est si difficile à des Français de comprendre. Ce peuple profond, qui quelquefois paraît aveugle et sourd ; ce peuple que l'histoire oublie, et que les politiques utilisent dans leurs sanglants démêlés ; ce peuple qui accompagnait Cortez et Pizarre, qui combattait à Saint-Quentin et à Lépante, qui luttait contre le Taciturne dans les marais flamands, qui montait l'invincible Armada, qui fut écrasé par les batteries de Condé, sur le plateau de Rocroi ; ce peuple qui fait l'histoire, mais pour lequel l'histoire n'est pas faite, le voici soulevé, le voici en armes, et peut-être vainqueur pour la première fois en son nom propre.

C'est cela, l'espoir. Certes, ce n'est pas la première fois que ceux qui sont la matière de l'histoire ont essayé d'en devenir l'objet. Depuis la révolte des mercenaires contre Carthage, qu'a immortalisée Flaubert, de siècle en siècle nous assistons à des émeutes, où paraissent devoir périr toutes les lois divines et humaines, mais qui sont toujours suivies par l'inévitable répression et le brutal rétablissement de l'ordre. La guerre d'Espagne à ses débuts a été une jacquerie, condamnée aux mêmes excès, vouée au même échec que toutes les jacqueries. L'étrange, c'est que la jacquerie n'ait pas été vaincue par ceux qui avaient entrepris de la réprimer avant même qu'elle n'éclatât et que l' « armée de l'ordre » en soit aujourd'hui à se demander si elle obtiendra jamais la victoire.

L'explication n'est pas difficile, et l'un des objets du livre de Malraux est précisément de nous la fournir. Si la jacquerie n'a pas été écrasée, c'est parce qu'elle a peu à peu cessé d'être une jacquerie pour devenir une armée. Ce qui est exactement le contraire. Et ce ne serait pas trahir, je crois, la pensée de Malraux, que de dire que son roman est un éloge de la discipline consentie, de la discipline que l'on commence par s'imposer à soi-même, dût cette discipline être parfois cruelle et presque inhumaine. Je vous renvoie là-dessus à la scène où le cinéaste Manuel, promu officier supérieur, est saisi aux jambes par deux de ses soldats que le Conseil de guerre vient de condamner à mort, et qui le supplient de les sauver. Il ne leur répond pas un mot; mais à partir de ce jour-là, il sent que ses rapports avec les hommes ne sont plus les mêmes qu'autrefois.

On sait maintenant qu'en Espagne une armée lutte contre une armée, ainsi que cela s'est toujours vu depuis qu'il y a des guerres au monde. Les lois de la guerre ont fini par prévaloir sur l'exaltation des luttes civiles, comme le démontrent, par exemple, les conditions de la reddition de Teruel, qui me font penser à ce célèbre tableau de Velasquez où l'on voit Maurice de Nassau remettre son épée à l'Espagnol Spinola. Je n'ignore pas la violence des idéologies qui se font face. Mais je vois aussi que les combattants ont passé le même uniforme; que les mêmes nécessités s'imposent à eux, à l'arrière et sur le front. Voici ce que dit un des personnages auxquels Malraux fait volontiers exprimer ses propres opinions : « *Ou Franco, là où il est vainqueur, fera ce que nous faisons, ou il entrera dans une guérilla sans fin. Le Christ n'a triomphé qu'à travers Constantin; Napoléon a été écrasé à Waterloo, mais il a été impossible de supprimer la charte française. Une des choses qui me troublent le plus, c'est de voir à quel point, dans toute guerre, chacun prend à l'ennemi, qu'il le veuille ou non... »*

Il est donc probable que cette guerre, quelle qu'en soit l'issue, sera à l'Espagne ce que fut à la France la Révolution : c'est-à-dire la promotion du peuple. Et cela, quel que soit en fin de compte le vainqueur apparent, à la seule confusion des étrangers qui ont cru que l'on pouvait se servir de l'Espagne comme d'un pion sur l'échiquier européen. Tel est l'espoir que nous laissent, et le livre de Malraux, et les conditions dans lesquelles s'est terminée la résistance de Teruel. Mais alors ne serait-il pas possible de faire l'économie d'une victoire?

Toute victoire détermine fatalement chez les vainqueurs une lourde ivresse, où risquent de se perpétrer les pires injustices et les plus aveugles violences ; chez les vaincus de sourdes rancunes et le désir de la revanche. Il peut y avoir des guerres justes dans leur principe, qui ne sont que la riposte à une agression qualifiée. Mais si on les poursuit jusqu'à la victoire totale, elles sont elles-mêmes génératrices d'iniquité...

Georges Friedmann
Les problèmes de la pensée et de l'action

Le livre est d'abord sur la guerre un témoignage saisissant... Ce témoignage romanesque, composant des prises de vue — dont le choix et l'angle sont d'une grande rigueur —, révèle et aussi dénonce l' « Illusion Lyrique » des débuts de révolution, où un élan personnel, héroïque, d'une tension admirable, croit pouvoir suppléer l'organisation et la discipline. Cet héroïsme, néanmoins, sauve un certain nombre de villes et de provinces ; comme, à Barcelone, l'écrasement de la rébellion du général Goded. A Madrid, à Tolède devant l'Alcazar, sur l'aérodrome des « Pélicans », c'est partout le même drame : sans moyens militaires, sans technique moderne, sans organisation, résister à l'ennemi, constituer à travers la lutte et les défaites elles-mêmes, à travers la guerre des milices, — une discipline, une organisation, une armée populaire.

Le combat mondial entre le fascisme et les démocraties a surpris en Espagne un peuple admirable pour qui comptent au premier plan certaines valeurs morales, et, avant tout, la dignité personnelle immédiate, à qui *l'allure* des actes est parfois plus sensible que *le but*. Or maintenant, devant Franco, c'est le but qui importe : vaincre. Il faut faire comprendre, au plus vite, à tous

GEORGES FRIEDMANN, *L'Humanité*, 29 janvier 1938.

les Espagnols combattants, la primauté du but et des moyens qui le rapprochent [...]

Toute cette période de l'Illusion Lyrique, comme l'appelle Malraux, de la mystique qui préfère la tension héroïque à l'efficacité disciplinée, est celle de l'adolescence de la révolution ; période dont on retrouve l'analogue, malgré toutes les différences des événements et des situations dans les premiers mois de la guerre civile en Russie.

[...] Malraux, combattant et témoin, demeure moraliste... Avec un accent qui n'a jamais été aussi simple et aussi humain *L'Espoir* nous présente, modifiés par une expérience bouleversante, les problèmes de la pensée de Malraux et avant tout ceux de l'action. Si, dans ses romans précédents, et encore dans *La Condition humaine,* l'action décelait chez Malraux une tension trop purement intellectuelle, parfois nietzschéenne, son *nouveau* livre, sans aucune concession à l'émotion facile, élève une résonance fraternelle qu'annonçait déjà *Le Temps du mépris,* mais ici combien plus constante. La fraternité anime tout le récit. Et le sens de la douleur. C'est par là que ce livre touche du plus près Malraux et son évolution d'écrivain. Le problème de l'action s'y pose tout autrement que dans les romans de Chine : la pure action héroïque, quasi gratuite, s'y humanise : volonté, solidarité, fraternité virile des hommes qui luttent et souffrent pour leur dignité, espoir : *Les hommes unis à la fois par l'espoir et l'action accèdent, comme les hommes unis par l'amour, à des domaines auxquels ils n'accéderaient pas seuls.*

Le fond de la pensée de Malraux est-il que cet espoir, qui élève les hommes au-dessus d'eux-mêmes, est encore une sorte de mythe exaltant? En tout cas l'action collective dans la bataille, en Espagne, au milieu d'hommes dont il connaît la langue, avec lesquels il peut communiquer et communier, la lutte pour l'organisation et la discipline, ont donné à Malraux lui-même accès à des territoires nouveaux. Prenant nettement parti pour la nécessité de la discipline, le primat actuel du Faire sur l'Être, montrant la déficience pathétique des bons sentiments dans la lutte antifasciste de notre temps, Malraux, à aucun moment, ne perd conscience. Je veux dire qu'il demeure juge lucide, dans le feu même des combats.

Et cette lucidité sur les moyens et les fins, dans l'intérêt même de l'humanisme que nous poursuivons, nous en avons besoin...

Henry de Montherlant
« Ce livre admirable et si mal apprécié »

L'Espoir, de Malraux.

On entend dire sur ce livre des choses *monstrueuses.*

« C'est du journalisme. »

« C'est mal composé. » Toujours la nostalgie de *La Princesse de Clèves,* qui est détestablement mal composée, mais qui, on ne sait pourquoi, représente dans l'esprit des Français le roman-composé-à-la-française, c'est-à-dire « bien composé » (note : 16 sur 20).

« C'est mal écrit. » Monstrueux. Mais... toujours la nostalgie de *Salammbô.*

On lui reproche des « dissertations ». Ils appellent dissertations tout ce qui est intelligent et profond, et surtout les entretiens des personnages. À ces entretiens, je reprocherais plutôt de friser parfois l'invraisemblance. Une armée d'intellectuels, comme dans ces pièces d'avant-guerre où tous les personnages sans exception avaient « de l'esprit ». Hélas ! Malraux, comme nous tous à la guerre, a dû avoir des mess qui n'étaient pas drôles. Mais il a fait le silence sur les cons, alors que c'est un drame de la guerre, qu'on la fasse toujours côte à côte avec des imbéciles (drame qui me l'empoisonnerait, aujourd'hui, et jusqu'à détruire, je le crains, tout sentiment autre que l'impatience de cette imbécillité), ou du moins avec des compagnons qui ne se battent pas pour les mêmes raisons que vous (abcès qu'il faut préserver, ou bien ouvrir ?).

L'attention chez Malraux. C'est une règle, que la beauté de l'art descriptif provient en grande partie de

Henry de Montherlant, *Carnets, 1930-1944* (année 1938), © éditions Gallimard, 1957.

la précision, c'est-à-dire de l'attention. Est-ce qu'il notait? Et est-ce qu'il notait sur le moment même? Sa précision dans le détail. Exemple : la ligne de miliciens qui avance (p. 50), les camions (p. 76).

L'absence de littérature. En cela, fait songer souvent à Tolstoï (exemple de simplicité tolstoïenne, cette fin de chapitre, p. 18). Répugnance pour la pédale. Pour la phraséologie : presque pas de proclamations de foi (et plût au ciel que toute notre littérature antifasciste eût pareille horreur de la rhétorique!).

Pas d'ironie.

Rien de local : l'Espagne un accident. Préfigure des guerres de l'avenir, où il ne sera pas question de nations, sinon pour la frime : la lutte de classe camouflée en lutte patriotique, à l'usage des attardés, comme les Arabes d'aujourd'hui, pour intéresser l'Europe, camouflent en passion nationale leur vieille passion uniquement religieuse.

Inoubliable : la main sur le mouton (p. ...), la sueur sur les moustaches (p. 63), les pendules (p. 105), la musique du tercio qui joue sur la grand-place tandis qu'on se bat encore dans Tolède (p. 179). Les pages sur les fusillés (p. 184) sont le comble de l'art d'écrire. Mais personne ne s'en aperçoit. « Du journalisme! »

Le vieil intellectuel dans Madrid, quand les Maures vont arriver et le fusiller. Ne pas bouger. Hauteur, dignité et fatigue. « Non, ces gens-là ne me feront pas courir. » Il y avait de tout cela dans la complaisance à se laisser tuer des nobles de 94.

(Je relis et je vois que le personnage le dit à peu près : « Vous vous laisseriez tuer par indifférence? — Pas par indifférence. Par dédain... »)

En Malraux se réconcilient l'intelligence et l'action, fait des plus rares.

Jusqu'à quel point croit-il? Si tout cela est jeu, c'est un jeu bien caché : *vere Deus absconditus.* [...]

Jean Grenier
Lettre à André Malraux

... Ce qu'il faudrait éviter peut-être avant tout c'est d'en arriver là où est parvenu Manuel : « Je suis résolu à servir mon parti, et ne me laisserai pas arrêter par des réactions psychologiques. » Quand on pense à ce que signifient ces mots : « réactions psychologiques »... et que Manuel ajoute lui-même : « Il n'est pas un des échelons que j'ai gravis dans le sens d'une efficacité plus grande... qui ne m'écarte davantage des hommes. Je suis chaque jour un peu moins humain [1]. » On se dit : « Non, c'est trop cher. »

Je n'ignore pas que l'on me répondra toujours en faisant appel aux nécessités, sinon aux *fatalités de l'action*. Pour agir, me dira-t-on, il faut accepter les hommes tels qu'ils sont et les partis tels qu'ils sont constitués. Nous en revenons à l'abîme qu'*il faut franchir* entre la morale et la politique.

Ainsi « Lucakz dans un de ses livres *Éthique et Politique* concluait à l'inconciliabilité de ces deux points de vue, à leur opposition irréductible. Deux jours plus tard son ami Liebknecht et Rosa Luxembourg étaient assassinés. La semaine suivante, il entrait au parti communiste hongrois ». Voilà ce que Garcia raconte (et ce que tout le monde dit). Mais Scali répond : « Ce qui n'a sans doute pas résolu son problème. »

JEAN GRENIER, *Lettre à André Malraux,* 1938.
Le texte intégral de cette lettre figure dans *Jean Grenier : Essai sur l'esprit d'orthodoxie,* © éditions Gallimard, 1938.

---

1. N.R.F., 1er novembre 1937, p. 767. Passage supprimé dans le livre. Mais j'y trouve ajouté celui-ci qui y ressemble : « Pour un homme qui pense, la révolution est tragique. Mais pour un tel homme, la vie aussi est tragique. Et si c'est pour supprimer sa tragédie qu'il compte sur la révolution il pense de travers, c'est tout » (P. 285). *Note de Jean Grenier.*

Je me permets de croire que vous êtes naturellement de l'avis de Scali et que vous vous forcez à être de l'avis de Garcia. Et vous vous justifiez d'être de l'avis de Garcia en exposant votre vie : comme cela vous pouvez vous permettre d'être un orthodoxe dans la pensée et dans l'action. « Ce que doit exiger de lui-même celui qui se sait séparé, c'est le courage. » Les révolutionnaires vous admirent avec raison pour avoir combattu en faveur de la révolution ailleurs qu'à la tribune ; mais ils devraient vous admirer *aussi* d'avoir trouvé dans le combat une sorte de rachat des vilenies que commettent des partis révolutionnaires « concrets ». Vos sentiments sont complexes : *d'abord* vous vous dites : je suis pour la Justice ; puis comme vous n'estimez pas les utopistes, vous prenez les moyens « concrets » de réaliser cette Justice (nous sommes ici dans un domaine qui n'a rien à voir avec la morale) ; *enfin,* pour faire passer ces réalités parfois tristes, vous allez au feu. Vous voici revenu bien près de ces chrétiens et de ces anarchistes qui ont dites-vous le goût du martyre plus que de la victoire. En tout cas si vous voulez la victoire pour ceux dont vous épousez la cause, vous n'en ignorez pas le prix...

1939-1944. L'unité antifasciste, rompue à Munich, est définitivement brisée par le pacte germano-soviétique. C'est la guerre. Malraux s'engage dans les chars, participe aux batailles de mai 40, est fait prisonnier, s'évade. Il continue ses travaux sur l'art, rédige *N'était-ce donc que cela?* (méditation sur les échecs de Lawrence d'Arabie) et *La Lutte avec l'Ange.* La Gestapo pille sa bibliothèque et détruit tous ses manuscrits, mais le premier tome de *La Lutte avec l'Ange, Les Noyers de l'Altenburg,* a pu paraître en Suisse et en Algérie.

En France seule la presse résistante parle de Malraux, et le compte rendu que nous citons était évidemment anonyme dans le numéro des *Lettres françaises* clandestines où il parut, aux côtés d'un article qui reproduisait l'admirable dernière lettre de Jacques Decour, fusillé par les nazis le 30 mai 1942.

On sut à la Libération que ce texte était
de Jean Lescure.

Jean Lescure
La Lutte avec l'Ange

Les temps que nous vivons, en confrontant dramatiquement l'homme à son destin, menacent de faire
paraître toute littérature assez vaine et de l'enfermer
dans l'exercice d'un mandarinat satisfait. Pourtant
l'homme attend de la pensée qu'elle réponde à la
catastrophe, et, sinon qu'elle en résolve l'angoisse, du
moins qu'elle en mesure sa propre dignité, face au
Mal. Nous attendons de la littérature qu'elle soit
exemplaire. Et naturellement il ne s'agit pas ici de
fatuités moralisantes à la Montherlant, ni de sermons
radoteurs à la Pétain. Il ne s'agit pas davantage de
flatteries et de sirop d'orgeat. Mais qu'un livre survienne où tout de nous-mêmes est remis en question,
désespérément, jusqu'à ce qu'au fond d'une négation
tragique brille enfin le secret qui peut nous fonder à
vivre, et nous reconnaissons tout à coup la grande
voix qui, à travers des siècles, assure notre action et
notre durée.

C'est en cela que *La Lutte avec l'Ange,* à quoi André
Malraux travaille depuis trois ans (et dont la première
partie, *Les Noyers de l'Altenburg* — évidemment interdite en France — vient de paraître en Suisse) nous
semble parfaitement exemplaire. Malraux se trouve
porté à rechercher cette durée presque instinctivement
et, pourrait-on dire, biologiquement. Le livre est dédié
à son fils, et comme s'il essayait d'assurer sa continuation sur celle de sa race, le héros Berger, conducteur
de char dans l'armée française, s'efforce de trouver un
sens à sa vie, non seulement dans sa vie, dans son expérience personnelle du drame humain, mais encore dans
celle de son père.

Jᴇᴀɴ Lᴇsᴄᴜʀᴇ, © *Les Lettres françaises* clandestines, octobre 1943.

C'est dans un camp de prisonniers, à Chartres, dès le 21 juin 1940, que Berger, en présence de ce grouillement d'êtres appliqués à écrire des lettres qui ne partiront pas, à l'affût d'un morceau de pain pour lequel se battre, se voit ramené à sa question fondamentale : « *Écrivain, par quoi suis-je obsédé depuis dix ans, sinon par l'homme ?* » Ce sont les *Mémoires* de son père, « *une masse de notes sur ce qu'il appelait ses rencontres avec l'homme* », ou plutôt ce sont ces rencontres (car les Mémoires n'ont jamais été rédigés) que Berger veut interroger, confronter aux siennes. Car, « *ici, écrire est le seul moyen de continuer à vivre* ». Et déjà l'on connaît une phrase du père de Vincent Berger, qui va commander toutes ces rencontres : « *Ce n'est pas à gratter sans fin l'individu qu'on finit par rencontrer l'homme.* »

Jean Lescure fait alors une analyse détaillée du livre interdit, puis il conclut, ne sachant pas encore que la suite est détruite :

Sans doute les deuxième et troisième parties de *La Lutte avec l'Ange,* sur cette révélation première [« la miraculeuse révélation du jour »] tenteront-elles de fonder quelque plus ample reconnaissance de l'homme. Pourtant, il est beau que ce livre dur avoue, au terme de tant de désespoir et de raisons de désespérer, « *la découverte d'un secret simple et sacré* ». Ce simple secret n'est pas nommé par André Malraux. Mais peut-on douter qu'il ne soit très purement le respect de la vie lorsque l'on a encore sonnant dans l'esprit ces mots exemplaires : « *Ah ! que la victoire demeure avec ceux qui auront fait la guerre sans l'aimer.* »

Roger Caillois
[*La vie est inépuisable*]

Les circonstances de la publication du livre, si propres à conseiller à un combattant la violence et la haine, la sérénité de l'œuvre qui contraste si fort non seulement

ROGER CAILLOIS, *Circonstancielles,* © éditions Gallimard, 1946 (écrit en 1944).

avec ces circonstances cruelles, mais plus encore avec la nature déjà par elle-même ardente et sombre de son auteur, telle que sa vie non moins que ses œuvres précédentes la font pressentir, voilà qui incline la réflexion surprise à examiner ce roman d'un point de vue que les ouvrages de la littérature, d'ordinaire, ne sollicitent pas de façon si précise [...]

... Une commune mesure souterraine continue d'unir malgré eux ceux que tout le reste précipite les uns contre les autres. Malraux a voulu montrer que ce sont d'abord des vivants, douloureux et interchangeables, ces soldats qui la veille ne se croyaient pas destinés à de si terribles heurts et qu'une déclaration de guerre lance un beau jour contre des inconnus qu'on leur commande de tuer et de haïr. Cette situation tragique et qui reste horrible quelque justification qu'elle reçoive, l'auteur semble s'être proposé de faire ressortir combien elle est en même temps banale et monstrueuse. C'est une décision où il a peu de part qui transforme l'homme en guerrier. Il n'a pas choisi. Il n'a fait que ne pas résister. Il se trouve pris dans un réseau si serré d'obligations que le loisir lui est à peine laissé non seulement de s'y soustraire, mais même d'imaginer qu'il pourrait en avoir la possibilité ou le droit. Il y a dans cette aventure où la vie est continuellement en péril quelque chose de mécanique et de pressant qui prive l'individu d'user de sa liberté et qui paralyse sa réflexion. Sans doute est-ce pour souligner le faible rôle de la volonté dans ses actions si graves que Malraux met en scène des Alsaciens, qui, à une génération de distance, par le seul jeu des victoires et des défaites, et pour répondre l'un et l'autre très machinalement à l'appel de leur patrie du moment, se trouvent combattre dans des rangs opposés. Jusqu'à leur nom est ambigu, Berger, qui suivant la façon dont on le prononce, devient un nom ou français ou allemand et si commun dans les deux cas qu'on dirait presque chaque fois une manière d'anonymat. Mais Malraux ne signale pas cette ruse, pas plus qu'il ne paraît s'aviser qu'au moment d'aller rejoindre une autre armée que celle de leurs pères, ses héros aient pu trouver étranges de tels retournements du sort. Ils ne semblent même pas y penser. Or, les choses n'ont pas coutume de se passer dans une si heureuse inconscience. Pour l'ordinaire, chacun combat pour son pays, sans s'interroger en effet, mais non pas justement si, partagé entre deux nations ennemies, il se trouve dans la nécessité et l'angoisse de se décider pour l'une ou pour l'autre. À moins qu'il ne s'agisse de lansquenets pour qui la bataille est le métier ou le plaisir. Mais ce ne sont pas des lansquenets que dépeint Malraux. Ce sont des fermiers gentilshommes attachés à leurs demeures ancestrales comme au paysage qui l'entoure et que leur labeur a en partie formé. On les connaît, on les respecte dans un village qu'ils semblent avoir toujours habité. Ils mettent leur orgueil à ne point faillir aux traditions de leur race. Personne assurément ne gardera davantage les diverses fidélités qui peuvent enchaîner le cœur de mortels établis dans un coin de terre depuis plus longtemps que la mémoire n'en conserve le souvenir et vivant là au milieu d'êtres aussi enracinés qu'eux-mêmes, dont ils sont solidaires en toute chose. Il n'est pas vraisemblable que, pour les gens de cette espèce, le problème ne se soit jamais posé de savoir pour qui ils prendraient les armes. Il n'est pas possible que, acceptant sans y réfléchir le sort anormal que l'histoire leur faisait, ils aient naïvement revêtu des uniformes qui, pour les leurs, hier même étaient ceux de l'ennemi.

Malraux, pour donner plus de discrétion et plus de force à sa thèse, a éludé cette difficulté. Il a choisi comme le plus probant un cas extrême et exceptionnel, mais n'a pas cru devoir tenir compte ensuite de ce caractère extrême et exceptionnel. Or, il le fallait; car, s'il est vrai qu'on se voit enrôlé dans l'une ou l'autre armée par la décision du hasard et sans qu'on pense à la discuter, cette soumission ne va pas de soi quand le tracé mouvant de la frontière expose le père et le fils à servir dans des camps opposés.

Il est douteux que la force principale de l'œuvre réside ainsi dans une démonstration où le principe même est faussé. Au reste, elle n'est jamais traitée directement. On dirait que l'auteur a voulu la faire admettre sans qu'on s'en aperçût, comme à la faveur d'une découverte qui intéresse si fort l'essentiel de la condition humaine que tout le reste, qui ne tient qu'aux circonstances, s'en trouve aussitôt relégué au second plan, dans une juste pénombre. Chaque temps du récit rappelle le privilège de l'homme dans la création : il est « *le seul animal qui sache qu'il doit mourir* ». Chuchotée ou proclamée, cette donnée sans cesse reprise sous une forme ou sous une autre, revient comme une obsession. Les personnages l'ont présente à l'esprit, qu'ils discutent sur les fins dernières de l'art ou qu'ils risquent leur vie sur quelque champ de bataille. C'est qu'on n'échappe pas à une telle pensée. L'existence entière en est altérée : « *Peut-être est-elle empoisonnée dès l'origine, la joie qui fut donnée au seul animal qui sache qu'elle n'est pas éternelle.* » Mais cette malédiction fait la grandeur de l'être qu'elle accable. Son angoisse le pousse à fuir de quelque façon l'anéantissement qui le guette. Sera-t-il incapable de rien fonder qui survive à la dépouille qu'il sait promise pour demain à la poussière? Ainsi sont conçues les entreprises les plus nobles, ainsi sont façonnées de pures merveilles, tout ce qui compose une civilisation. La certitude de la mort, voici par paradoxe l'aiguillon des efforts humains. Et pour la mort elle-même, comme elle reste impuissante au prix de la vigueur et de la ténacité de la vie! Car la vie continue au milieu même des ruines qu'accumulent les massacres de la guerre et la fureur de détruire. Le brin d'herbe pousse entre les décombres, des poules picorent dans la grange déserte et le matin qui se lève sur la campagne dévastée, affirmant que la vie est opiniâtre, dévoile à nouveau le seul secret qui, tout compte fait, « *n'eût pas été moins poignant si l'homme eût été immortel* » : le miracle même de vivre.

C'est pourquoi, j'imagine, cette première partie de l'ouvrage se termine sur l'éblouissement de quelques hommes devant la révélation d'un prodige qu'ils n'avaient pas encore pu percevoir. D'être continu le rendait insensible. Mais la menace de la mort, faisant enfin craindre qu'il ne s'interrompe, en a découvert soudain la splendeur irremplaçable. Alors, pour ces rescapés, les choses mêmes semblent reprendre le chant limpide du poète célébrant :

« *... La simple chose que voilà, la simple chose d'être là, dans l'écoulement du jour.* »

La vie, pour la première fois, apparaît bien ce qu'elle est : le présent quotidien dont les autres dépendent, et jusqu'aux violences qui la meurtrissent.

Jamais l'art de Malraux ne fut si heureux, si convaincant. Il n'a rien perdu de son intensité accoutumée, mais lui aussi semble avoir pris le parti de la vie et aller pour ainsi dire dans le sens du monde. Il n'a plus de complaisance pour la hargne perverse qui se retourne contre l'ordre le plus simple de l'univers. Quelque grand calme lui donne une solennité admirable où ses romans antérieurs, fiévreux et rebelles, n'atteignaient que rarement. Partageant une erreur alors répandue, Malraux semblait imaginer que les sources troubles de la luxure et de la cruauté puisaient directement à une sorte de nappe souterraine au-delà de laquelle il n'existait plus rien. Une étrange illusion faisait confondre profondeur et bassesse. Et tout était réputé superficiel, fragile ou hypocrite, qui ne répondait pas à un instinct sinistre et criminel. Hélas, trop d'événements sont venus démontrer qu'il n'est rien de plus facile et de plus vulgaire que les cruautés et les luxures. Ces prétendus abîmes sont à la portée de tout le monde. Quiconque s'abandonne y plonge aussitôt et sans efforts. On en touche le fond assez vite et leur fécondité n'est que malheureuse. Comme beaucoup, ce temps aura conduit Malraux à répudier cet entraînement fatal qui persuade que seuls le mal et la mort sont inépuisables. La vie l'est davantage, et elle est plus primitive encore, avec tout ce qu'elle promet de joie, de discipline, de fraternité, toutes œuvres de l'homme enfin qui travaillent elles aussi à un ciel contre qui les puissances de l'enfer ne sauraient prévaloir. Leur assaut peut menacer des conquêtes nécessairement frêles mais il en fait en même temps sentir le prix. [...] On a trop dit que l'artiste était nécessairement du parti de Satan. Servant une plus haute et décisive majesté, il n'appauvrit pas son art. Il lui donne une épaisseur nouvelle. Il ne se leurre pas. Il est désabusé au contraire. Tout prend place et Satan lui-même, dans un univers élargi, plus ample que l'autre et plus vrai, qui est tout infusé de la sève essentielle de la vie. Telle fut l'expérience de Malraux et telle est, m'a-t-il semblé, l'intention principale de son dernier témoignage.

1944-1945. La réapparition de Malraux comme chef de maquisards puis comme commandant de la brigade Alsace-Lorraine, son rôle au Congrès du Mouvement de Libération Nationale, la sortie du film *Sierra de Teruel* devenu *Espoir,* la publication chez Gallimard des *Noyers de l'Altenburg* et de la première grande étude de Gaëtan Picon mettent de nouveau l'homme et l'écrivain au premier plan de l'actualité. Ses romans sont de nouveau affichés partout.

Jean Schlumberger

On ne referme jamais un livre de Malraux sans une sorte d'enthousiasme humain [1].

Gaëtan Picon
« L'unité d'une éthique vivante et d'un art efficace »

Il est à chaque époque des œuvres dont on peut parler avec détachement. Nous les admirons sans renoncer à la liberté de notre esprit. Elles sont devant nous, et nous nous déplaçons calmement devant elles comme devant un tableau de chevalet. À chaque époque aussi il en est d'autres que l'on ne peut que repousser ou épouser totalement. Nous ne pouvons en parler qu'en acceptant

JEAN SCHLUMBERGER, *Jalons,* Montréal, 1941, connu en France seulement après la Libération.

GAËTAN PICON, *André Malraux,* © éd. Gallimard, 1945.

---

1. Cette phrase est isolée dans un contexte qui ne concerne nullement Malraux, mais elle est demeurée célèbre à juste titre.

de nous confondre avec elles, ou de rejoindre celles qui leur sont ennemies. Il existe des œuvres dont nous sommes les spectateurs et d'autres dont nous sommes les complices. Parler de celles-ci, c'est se démasquer et s'effacer à la fois. Si nous paraissons objectifs, c'est que nous n'avons jamais été plus loin dans la partialité. Comment les dominer, comment nous détacher d'elles sans rompre le contact, sans perdre la grille qui nous permet de les lire? — Il est des œuvres que l'on ne voit bien qu'à distance, et d'autres qui nous imposent d'abolir entre nous toute distinction.

C'est dire qu'il existe des œuvres qui nous offrent des spectacles et d'autres qui proposent des réponses aux problèmes que nous vivons. Celles qui se laissent enfermer dans le domaine de la littérature, et ne prétendent pas être autre chose qu'un objet de contemplation, il est naturel qu'elles ne fassent appel à rien de plus profond en nous que l'émotion et le jugement esthétiques. Mais celles qui s'épanchent hors de la littérature, et reconnaissent les interrogations de l'homme vivant, on comprend qu'elles éveillent des passions à la mesure de celles dont elles témoignent. À la tradition de l'art rhétorique, où Valéry, de nos jours, reprend Mallarmé comme Mallarmé reprenait Racine, s'oppose la tradition elle-même constante d'un art moraliste où Gide continue Barrès comme Barrès Chateaubriand, Chateaubriand Rousseau, Rousseau Pascal. — Dans toute une génération littéraire, Malraux semble bien le représentant le plus notable de la tradition qui destine les moyens de l'art à une affirmation morale et fait appel à notre plus secrète complicité.

Aimer l'œuvre de Malraux, je ne prétends pas que ce soit se fixer dans les réponses qu'elle nous donne, ni que sa vision du monde et de l'homme nous propose une plénitude où nous puissions nous arrêter. Je dis seulement qu'elle nous indique une solution qui est l'une des solutions possibles pour notre temps, et qu'elle l'affirme avec assez d'éclat et de prestige pour qu'il nous soit interdit de l'ignorer. Je ne vois pas en Malraux notre directeur de conscience : je dis seulement que ceux qui comme moi ont reçu son œuvre en plein visage devront toujours mesurer à son exemple les expériences de leur vie et les rencontres de leur pensée. S'il n'est pas notre modèle, il est notre possibilité, notre tentation — l'une des brûlantes empreintes qui ne s'endormiront jamais en nous. Ce qui fut vrai hier pour Barrès ou pour Gide est aujourd'hui vrai pour Malraux : nous ne pouvons plus choisir notre voie sans tenir compte de la sienne.

Comme hier Barrès, Péguy et Gide, Malraux a réalisé l'unité d'une éthique vivante et d'un art efficace. Il se peut qu'il n'y ait rien de plus élevé que l'ordre d'une semblable réussite. Car il semble à la fois que l'œuvre d'art soit la plus haute expression de l'homme, et l'homme la plus haute fin de l'œuvre d'art. Avant tout, nous exigeons que nous soit donnée une réponse aux questions de notre destinée, mais aucune réponse n'est plus claire et plus persuasive que celle qui nous vient de l'art. « L'instinct le plus profond de l'artiste va-t-il à l'art, ou bien n'est-ce pas plutôt au sens de l'art, à la vie, à un désir de vie? » : l'œuvre de Malraux répond positivement à la question de Nietzsche. Trop souvent, dans la littérature contemporaine, une esthétique de la pureté, enfermée dans les jeux du langage, ne trouve en face d'elle que la tentation de l'éthique — la tentation de sacrifier le langage à la nécessité immédiate de la vie. Giraudoux s'oppose à Rimbaud, le vide de la parole à la plénitude du silence. Malraux est de ceux qui croient que la littérature peut être une expression profonde de l'homme; son œuvre nous apporte une affirmation éthique en même temps que la preuve de l'efficacité du langage humain. Si l'œuvre de Malraux — malgré la grandeur que déjà on lui reconnaît — semble pour l'instant un peu solitaire, c'est qu'elle se situe sur une lignée plus durable que les œuvres autour desquelles s'ordonnent les tendances du jour. Rien ne me paraît la promettre plus sûrement à un destin classique que ce contraste entre son importance et son isolement, son retentissement et son retrait. On n'aperçoit la nécessité des grandes œuvres qu'après avoir épuisé les œuvres qui ne sont qu'actuelles : il est de leur nature de se révéler lentement.

André Gide
L'*Aventure humaine*

J'ai voulu revoir, il y a quelques jours, le film d'André
Malraux : *Espoir*. Il me l'avait présenté avant le montage
définitif. Ce beau film a pris à présent une ampleur, une
sorte de gravité tragique par quoi il rejoint le puissant
livre auquel il emprunte sujet et titre. Nulle concession
au goût du public; une sorte de dédain altier pour ce
qui peut amuser ou plaire; et sans cesse, dans les rares
propos des acteurs du drame, leurs attitudes, les expres-
sions de leurs visages, dans l'austère beauté des images,
ce sentiment latent de dignité humaine, d'autant plus
émouvante qu'il s'agit ici de très pauvres gens, peu
distants de l'âpre terre qu'ils cultivent, inconscient de
leur noblesse, modestes paysans que l'événement magnifie
en héros, en martyrs. Cette noblesse naturelle, cette
grandeur secrète, cette conscience de la dignité humaine,
je les retrouve partout, dans l'œuvre de Malraux, et
c'est aussi le trait le plus marquant de sa propre figure;
par où il nous conquiert dès l'abord, puis nous retient
et nous subjugue. L'homme qu'il peint dans ses livres
n'est enfin plus cette créature déchue, veule et résignée
dont nous voyons l'abjection complaisamment étalée
dans nombre d'œuvres d'hier et d'aujourd'hui. Et lui-
même volontiers fera compagnie des plus humbles,
mais reste de la race des seigneurs.

Ici j'entends sonner le mauvais vers de Jammes :

> *les Vigny m'emmerdent avec leur dignité!*

mais il s'agit, avec Malraux, de tout autre chose. Chez
lui rien du théâtral « non fœdari » de l'auteur d'*Eloa;*
non plus que de l'olympienne impassibilité d'un Leconte
de Lisle. Malraux bien au contraire reste offert à tout
et à tous, sans cesse accueillant et j'allais dire : perméable,
si je ne le savais d'autre part si résistant à ce qui pourrait incliner sa décision ou entamer sa volonté. Aussitôt

A<small>NDRÉ</small> G<small>IDE</small>, © *Terre des hommes*, 1ᵉʳ décembre 1945.

il agit. Il assume et se compromet. Partout où quelque juste cause a besoin d'un défenseur, où s'engage quelque beau combat, on le voit premier sur la brèche. Il s'offre et se dévoue sans marchandage, et même avec je ne sais quoi de vaillant à la fois et de désespéré qui sous-entend qu'il ne tient pas beaucoup à la vie, que celle-ci lui importe moins que ce qui la consume, ne prend valeur que dans l'offrande, ne vaut d'être vécue que risquée, dans une valable aventure. C'est surtout un aventurier. Il semble même qu'il se lança dans son éblouissante carrière, par pétulance, avant d'avoir bien pris ses propres mesures, s'être assuré de sa valeur. Et le mot aventure reprend avec lui son plein sens, le plus beau, le plus riche, le plus humain. Le rôle assumé par lui n'est-il pas de redonner à l'homme et de reconquérir pour lui les titres effacés d'une noblesse méconnue. Malraux s'éprend de la belle et tragique aventure humaine, le court lui-même, et dans chacune de ses œuvres la redit et nous en instruit.

« On peut aimer que le sens du mot art », dit-il dans sa préface au *Temps du mépris,* « soit : tenter de donner conscience à des hommes de la grandeur qu'ils ignorent en eux. » Oui, c'est bien cela; et que m'importe dès lors si cela pourrait être mieux dit. Malraux n'a pas, ne cherche pas le style lapidaire. Il écrit à plume abattue; et comme souvent dans sa conversation, on s'essouffle un peu à le suivre. Et parfois sa phrase s'empêtre dans un trop abondant foisonnement d'images, de sensations, d'émotions et d'idées. Car peu nous importerait l'aventure humaine si la sensibilité la plus frémissante et l'intelligence la plus ouverte, la plus générale, la plus généreuse ne s'y trouvaient à la fois engagées. Malraux fait preuve sans cesse de cette sorte d'universalité dont, hier, Valéry nous donnait un prodigieux exemple. Et si, de ce dernier, j'écrivais que je l'imaginais aussi bien homme d'État ou de finance, grand diplomate, ingénieur ou médecin, et pensais qu'il aurait excellé dans ces domaines si divers aussi bien que dans celui des lettres, je le pense également de Malraux, et ne suis pas plus surpris de le voir assumant aujourd'hui d'importantes fonctions gouvernementales, qu'hier conducteur d'armée, aviateur, cinéaste ou leader révolutionnaire. À dire vrai c'est devant une table de travail que je l'imagine le moins volontiers, ou plutôt que je l'imagine le moins à son aise. Son génie le harcèle avec impatience : « Eh quoi! ne peut-il manquer de se dire, tandis que j'écris, je pourrais vivre, agir... quelque nouveau danger m'attend quelque part... » et prendre vite en horreur cette absence de risque, ce repos, ce confort où pouvait œuvrer l'écrivain.

André Bazin
Du style au cinéma

J'appelle mise en scène d'un romancier le choix instinctif ou prémédité des instants auxquels il s'attache et des moyens qu'il emploie pour leur donner une importance particulière. Rendre présent et donner un sens ne peut, chez l'artiste, qu'être une seule et même action puisque la présence n'est justifiée qu'en fonction du sens qu'il lui prête. Or, chez Malraux, écrivain, ce sens est mis en lumière de deux façons principales : l'une logique, discours et dialogues souvent très intellectuels auxquels se livrent les personnages, l'autre que j'appellerai esthétique, le sens se dégageant implicitement des comparaisons ou des rapprochements. Que ceux-ci soient imaginaires ou concrets, leur valeur est exactement la même. Il écrira par exemple : « Derrière Garcia, sur le bras allongé d'un apôtre des bandes de mitrailleuse séchaient comme du linge. Il suspendit sa veste de cuir à l'index tendu. »

La comparaison imaginaire et antithétique de la première phrase joue exactement le même rôle dans « la mise en scène » que le rapprochement également antithétique mais concret de la seconde.

Quelle peut être la projection visuelle sur l'écran de cette mise en scène littéraire. Une première remarque s'impose : le cinéma ne connaît que du concret puisque les images y sont objectivement réelles. Les moyens dont il dispose pour signifier l'imaginaire sont extrê-

mement réduits et d'une valeur esthétique douteuse :
la surimpression, le ralenti, la pellicule négative ou les
trucages optiques ne sont que très rarement acceptables,
il ne saurait être question de les utiliser dans une œuvre
de cette nature. Le roman au contraire ne travaille que
sur de l'imaginaire puisque les faits réels ou pensés nous
sont transmis par des mots. Il s'ensuit que la comparaison au sens formel et classique est une figure spécifiquement littéraire et que la conjonction « comme »
n'a guère d'équivalent dans la syntaxe cinématographique.

Un vieil argument des contempteurs du cinéma
prétend qu'il laisse notre imagination passive, étant
obligé de tout dire. On en trouverait ici, s'il en était
encore besoin, une réfutation supplémentaire. Faute de
pouvoir formuler l'image que suggère en lui l'objet
qu'il photographie l'artiste est obligé de laisser au spectateur le soin de la retrouver. Mais quelle assurance
a-t-il que le spectateur la retrouvera ou même tout simplement qu'il s'avisera de l'y chercher. Ici encore la
technique et ses conséquences psychologiques commande l'esthétique. Le spectateur n'a pas le temps au
cinéma de s'arrêter pour réfléchir. L'image ne peut
pas faire appel à l'intelligence volontaire. Elle ne doit
exciter que les muscles lisses de la conscience. Le cinéaste
a atteint son but quand la photographie provoque
spontanément en nous les associations souhaitables. Je
dis bien « les » associations, car dans la plupart des cas
l'image est encore trop engagée dans la réalité pour
n'être pas chargée d'une certaine polyvalence méta-
phorique. Le plus souvent du reste nous ne choisissons
pas entre les images possibles, elles ne parviennent
même pas jusqu'à notre conscience mais leur virtualité
est obscurément ressentie et c'est elle qui donne à
l'image sa densité esthétique. Par le récit le cinéma est
un art de l'ellipse, mais en tant que reproduction plastique de la réalité le cinéma est un art de la métaphore
virtuelle.

Malraux n'a heureusement pas tenté comme il l'a
fait plus ou moins pour l'ellipse de transcrire littéralement la comparaison et l'on peut dire que la plupart
de ses images possèdent précisément cette densité exis-
tante qui provoque sans arrêt notre imagination. Sans

doute font-elles plus appel à l'intelligence que dans la plupart des films, mais cet appel n'est pas interdit, il suffit que les couches obscures de la conscience soient elles aussi atteintes. Ainsi quand les dynamiteurs quittent cette boutique d'épicier ou de droguiste un léger mouvement de l'appareil amène au premier plan une énigmatique bonbonne dans laquelle tamise goutte à goutte, d'un entonnoir, de l'acide. Le symbolisme intellectuel de cette image peut prêter à de longs commentaires mais le bruit cristallin des gouttes s'installant dans le silence dramatique de la pièce, les ondes de leur impact sur le liquide, seul mouvement dans cette immobilité désertée par l'agitation des hommes, la forme même de l'objet vaguement évocatrice d'un sablier, tous ces détails, entre lesquels l'écrivain choisirait et qu'il entourerait de comparaisons nous sont livrés à l'état brut tout chargés de sens à travers des multiples virtualités de métaphores. Peu importe que celles-ci ne cristallisent qu'à la réflexion après le film et que seule une méditation ultérieure en dégage les symboles puisque nous les avons spontanément pressentis.

Mais si la comparaison littéraire est interdite à l'écran, le rapprochement de deux faits réels tirant une importance particulière de leur juxtaposition, est au contraire une figure privilégiée du cinéma. Comme le livre, le film abonde de ces associations concrètes. C'est le plan des tournesols fanés aussitôt après le meurtre du cabaretier fasciste. Le silence rayé par l'appel des cigales succédant aux fracas de l'avion, le vol des oiseaux migrateurs précédant l'attaque des chasseurs ennemis et surtout cette inoubliable trouvaille de la fourmi trottant sur le viseur de la mitrailleuse. Il est même permis de dire qu'ici les moyens cinématographiques servent mieux Malraux que la littérature en raison du choix habituel de ses rapprochements. La référence se fait généralement chez lui de l'homme à la nature, aux plantes, aux animaux, elles sont très souvent géologiques ou sidérales. L'évocation littéraire reste très certainement alors en retard sur la représentation concrète. Il est des domaines où l'imagination est presque nécessairement inférieure à la perception (le documentaire de guerre nous l'a prouvé abondamment). Le contrepoint inhumain (on pourrait dire cosmique) dont Malraux orchestre toujours l'action humaine est de ceux-ci ; il a trouvé au cinéma son maximum d'expression et d'efficacité artistique.

Il reste pourtant çà et là des comparaisons implicites qui relèveraient peut-être mieux de l'expression littéraire que de la plastique. Elles ne nuisent pas au film et je n'en fais état qu'à titre d'exemples où l'on peut saisir sur le vif l'ambivalence de Malraux écrivain et cinéaste. Quand l'un des mitrailleurs de l'avion est blessé, son camarade lui crie de se faire un garrot et lui envoie la boîte de pansement : « comme un palet » dit le livre. Or, dans le film, Malraux a visiblement été obsédé par cette comparaison. La boîte de pharmacie est plate, et l'acteur la jette horizontalement. Il est impossible au spectateur qui a relu le livre de ne pas compléter mentalement « comme un palet ». Il est probable qu'un autre metteur en scène ayant à réaliser cette séquence d'après le scénario, n'eût gardé de la scène que son intérêt dramatique et ne se fût pas attaché à respecter une image qui ne doit guère porter sur le spectateur non averti. On trouverait aussi parfois dans le jeu des acteurs des intentions qui suivent textuellement les indications du livre mais restent trop subtiles pour traverser l'écran.

1946-1948. L'évolution politique de Malraux suscite de nombreuses polémiques. De nombreux critiques changent d'opinion à son sujet ou relisent son œuvre pour essayer de comprendre un changement qui les étonne. *Esprit* publie un important numéro spécial : « Interrogation à Malraux. »

Georges Mounin
Les chemins de Malraux

L'œuvre de Malraux n'est de bout en bout que les mémoires imaginaires de sa propre aventure. Un de ses

Georges Mounin, © *Les Lettres françaises*, 7 juin 1946.

personnages les explique tous : « *Comment veux-tu, dit-il, qu'on comprenne* (les autres) *autrement que par les souvenirs?* » Cette irrépressible domination de la biographie sur l'œuvre va jusqu'à des répétitions qui seraient des maladresses si ce n'étaient des obsessions. Le grand-père Vannec, dans *La Voie royale,* le grand-père Berger, dans *Les Noyers de l'Altenburg,* accueillent, pour les mêmes raisons, des cirques et des éléphants dans la cour de leurs maisons bourgeoises. Le vieil Alvear dit, dans *Espoir :* « *Et pourtant, j'avais peur de la mort quand j'étais jeune.* » Et dans *Les Noyers,* le vieux Walter : « *Quand j'étais enfant, j'avais grand-peur de la mort.* » Dans *Espoir* aussi, c'est d'abord Attignies qui prononce à propos du peuple une phrase fameuse : « *Le difficile n'est pas d'être avec ses amis quand ils ont raison, mais quand ils ont tort.* » Cent pages plus loin, l'ayant oubliée, Malraux la réinvente au nom de Manuel, autre personnage indépendant du premier. On multiplierait de tels traits : ils prouvent qu'on peut chercher les secrets de Malraux dans son œuvre.

Le fond de Malraux, c'est Pascal : obsession de la mort, absurdité de l'univers, angoisse au regard de la condition humaine. Gaëtan Picon vient, dans un essai sur Malraux, de remettre à juste titre au premier plan ces trois données dont beaucoup croyaient avoir vu Malraux s'éloigner dans l'action. Picon peut ensuite opposer Sartre et Camus à Malraux, protester contre ceux qui veulent accoler ces trois noms, il peut multiplier de l'un à l'autre les plus exactes nuances : il échoue, parce qu'il a trop bien démontré d'abord que ces différences capitales *de second ordre* prennent place à l'intérieur d'une parenté primordiale. En fait, il faudrait même aller plus loin. Malraux paraît aujourd'hui le chef-d'œuvre à quoi tendent et n'atteindront peut-être pas Sartre et Camus. Les illustrations les plus parfaites du *Mythe de Sisyphe,* écrites il y a dix et quinze ans, s'appellent *La Voie royale* et *Les Conquérants;* toutes les questions d'engagement que Simone de Beauvoir et Sartre essaient de résoudre ont déjà leur solution dans *La Condition humaine* et dans *Espoir;* et le moindre dialogue, dans *Espoir,* répond à tous les éditoriaux parus des *Temps modernes.* Sur le chemin de Sartre, le Malraux de 1939 était déjà plus loin que Sartre aujourd'hui.

L'aspect le plus sain du génie de Malraux reste son combat contre soi : ce désespéré s'approchait toujours plus de l'espoir, cet enfermé se tendait vers la communication, cet intellectuel accédait au peuple ; cet aventurier comprenait chaque fois un peu mieux la révolution.

« *La mort est là,* disait *La Voie royale,* — et c'est tout Camus — *comme l'irréfutable preuve de l'absurdité de la vie.* » Le Garine des *Conquérants* pense aussi : « *Je ne tiens pas la société pour mauvaise, pour susceptible d'être améliorée ; je la tiens pour absurde.* » Mais les deux livres cherchaient déjà « *ce qui résiste à la conscience de la mort* », et croyaient le trouver dans l'action, dans l'aventure et la fraternité du courage. « *Que faire d'une âme, s'il n'y a ni Dieu ni Christ ?* », avoue l'anarchiste obsédé des *Conquérants ;* c'est Garine lui-même qui répond : « *Il me semble que je lutte contre l'absurde humain en faisant ce que je fais ici.* » Ce qu'il fait, c'est la révolution chinoise : un aventurier s'efforce d'aimer la seule aventure qui ne soit pas une distraction pascalienne. « *Je suis dans cet uniforme parce que je veux que changent les conditions de vie des paysans espagnols* », dit Scali, dans *Espoir.* Des pillards de temples khmers aux combattants des brigades internationales, Malraux parcourait le chemin qui va de Pascal et Nietzsche à Marx et Lénine.

Du même mouvement, Malraux semblait se délivrer d'une angoisse métaphysique à laquelle, depuis, l'existentialisme a rendu de l'éclat. « *Mon père pense que le fond de l'homme est l'angoisse, la conscience de sa propre fatalité, d'où naissent toutes les peurs, même celle de la mort* », dit Kyo, dans *La Condition humaine.*

Le vieux Gisors a lu Kierkegaard plus que Marx. Il pense qu'il faut oublier cette angoisse dans la drogue, ou l'érotisme, ou le terrorisme, ou l'affairisme, ou le communisme, indifféremment. « *Il faut s'intoxiquer,* dit ce singulier professeur de marxisme à l'université de Pékin : *ce pays a l'opium, l'Islam a le haschich, l'Occident la femme...* » Mais Gisors est dépassé par tous ceux qu'il a formés. Dans *Espoir,* aucun des personnages en qui parle Malraux ne soutient plus cette égalité de tous les remèdes à « *la fascination du néant* ».

Sur les problèmes aussi de la solitude et de la communication des hommes entre eux, Malraux reste encore aujourd'hui le plus éclatant dépasseur d'un existentialisme vécu, dont il a précédé les formulations théoriques en français. Il part de la solitude absolue, dont peu de ces personnages sont exempts. Mais il entrevoit toujours mieux les dépassements méconnus de la solitude. « *Il n'y a pas de connaissance des êtres* », dit le vieux Gisors. Mais autour de cette impuissance à s'expliquer par des mots, pour certains êtres et dans certains cas, Malraux découvre la communication par la communauté des souvenirs, des actes, des sentiments silencieux. « *Il faut que tu comprennes sans que je dise rien*, dit l'un de ses personnages. *Il n'y a rien à dire.* » En fait, cette simple phrase, entre deux hommes accablés, traduit ce qu'il y a d'intraduisible dans leur fraternité. Deux fois, dans *Le Temps du mépris* et dans *Espoir*, il évoque « *les vérités qui ne sont données qu'aux hommes assemblés* ». Cet intellectuel asséché de dialogue et de lucidité découvre lentement la poésie, c'est-à-dire tout ce qu'on peut communiquer *par les émotions*.

Il découvre également les hommes. Les nietzschéens de *La Voie royale* exaltaient la vieille conviction « *qu'on ne pense pas sans danger contre la masse des hommes* ». Le révolutionnaire aventurier des *Conquérants*, moins présomptueux, reste encore loin du peuple : « *Je n'aime pas les hommes*, dit-il, *je n'aime même pas les pauvres gens.* »

Mais les protagonistes de *La Condition humaine* ne le disent plus. Des communistes se sont souvent demandé si Malraux vraiment aime et comprend la masse des hommes et son rôle historique. *On peut penser qu'il a tenté longtemps d'y parvenir.* Dans *Espoir* il y a une compréhension quasi léniniste du peuple, une répudiation de l'apocalypse anarchiste et de la pitié libérale inerte, une fraternisation d'intellectuel avec le peuple.

On voit bien qu'il ne s'agit pas pour moi de polémique : la polémique essaie d'éliminer l'adversaire, et Malraux, l'homme, est éliminé politiquement. La critique, elle, essaie d'assimiler l'écrivain, quelles que soient les faiblesses de sa biographie, — mais sans vouloir non plus blanchir la biographie au nom de l'œuvre. Le Malraux politique a mérité toutes les sévérités.

Je ne me propose pas d'ailleurs aujourd'hui d'examiner tout ce par quoi Malraux reste un grand écrivain. Tout mon problème est de savoir ce qui s'est passé depuis *Espoir,* et comment le communisant d'alors est devenu l'anticommuniste assez étonnant du cabinet de Gaulle.

Si *Les Noyers de l'Altenburg* avaient été réédités en France après leur tirage en Suisse en 1943, tout serait plus clair. On connaît peu ce volume, encore aujourd'hui, chez nous : contrairement à ceux qui pensent que *Les Noyers de l'Altenburg* prolongent le Malraux d'*Espoir,* je crois que le livre est un retour en arrière.

Tout ce dont Malraux semblait s'être délivré — angoisse au regard du destin de l'homme, absurdité du monde, obsession de la mort — fait irruption dans son œuvre de nouveau, sans opposition que de fragiles émotions, que de brèves « évidences fulgurantes » comme chez Sartre. *Les Noyers de l'Altenburg* reviennent au contenu textuel de *La Voie royale,* ils en sont l'épanouissement plutôt que celui d'*Espoir :* on dirait que Duhamel a raison d'affirmer que les prédisposés sont condamnés à deux grandes crises d'inquiétude métaphysique, l'une au moment de l'adolescence et l'autre vers la cinquantaine. Dans *Les Noyers,* Pascal a repris nommément possession de Malraux tout entier. Ce n'est pas seulement la substance, ce sont les formules et les solutions des deux livres qui se répondent.

En profondeur, toute civilisation est impénétrable pour une autre, écrivait curieusement l'adolescent nourri de civilisation khmère ; et le vieil ethnologue, le Möllberg des *Noyers,* pense aussi que les cultures, *les états psychiques successifs de l'humanité sont irréductiblement différents.* À ceux que soutient la pensée de la marche de l'homme à travers son histoire, ces désespérés opposent que l'homme n'existe pas, — que l'homme n'est pas un phénomène continu. D'ailleurs disent aussi *Les Noyers, nous ne pensons que ce que l'histoire nous laisse penser, et sans doute n'a-t-elle pas de sens.* On est aux antipodes d'*Espoir,* dont tous les héros justement travaillaient pour que l'histoire ait un sens, et pour qu'à partir de nous au moins l'homme ait la possibilité d'être un fait continu.

Sur ce fond de désespoir et de mépris de la masse en tant que facteur historique, apparaît à nouveau, comme au temps de *La Voie royale,* une physionomie de pur aventurier. Le héros du premier roman de Malraux, ce

Perken apatride, obstiné à se tailler dans le Haut-Mékong une éphémère souveraineté parmi les Moïs insoumis, disait, comme un écho du colonel Lawrence à qui Malraux songea beaucoup : « *Être roi est idiot. Ce qui compte, c'est de faire un royaume.* » Et le capitaine du bateau définit très bien : « *Il me fait penser,* disait-il, *aux grands fonctionnaires de* l'Intelligence Service, *que l'Angleterre emploie et désavoue à la fois.* »

Dans *Les Noyers,* Malraux revient sur une figure analogue, à travers laquelle, à chaque instant, l'autobiographie transparaît : un certain Berger, de souche alsacienne, Allemand de fait, professeur, puis attaché d'ambassade à Constantinople, éminence grise d'Enver pacha pour lequel il entreprend de courir l'Asie antérieure à la manière dont Lawrence a couru l'Arabie. L'histoire littéraire établira quelque jour si, lorsqu'il écrivait *Les Noyers,* Malraux savait déjà devenir le conseiller du général de Gaulle. La rencontre dût-elle être reportée par-delà l'œuvre, que celle-ci resterait document irréfutable : Malraux rêvait de jouer le rôle qu'il a joué. Le Malraux qui prêtait à Perken un cri d'ambitieux pascalien *(Je veux laisser une cicatrice sur cette carte)* devait comprendre un soldat dont le dernier mot, dans *Le Fil de l'épée,* magnifie les *ambitieux de premier rang qui ne voient à la vie d'autre raison que d'imprimer leur marque aux événements.*

Il est impossible de ne pas voir, à travers le Berger qui soutient dans la coulisse Enver pacha, la silhouette du Malraux de l'Information (« Les préfets *ne vident pas les ordures eux-mêmes :* son action avait été politique, non policière »).

Gaëtan Picon, définissant le révolutionnaire qu'il y a eu chez Malraux, note aussi très justement ce petit trait qui le limite : *Il y a chez Malraux un* réaliste impatient *qui mesure ses gestes à leurs chances de réussite, qui ne veut ni agir pour rien, ni attendre trop longtemps la conséquence de ses actes.* Dans *Les Noyers,* Berger-Malraux dit ceci, qui est une clé : « *Il est trop tard pour agir sur quelque chose : on ne peut plus agir que sur quelqu'un et ce quelqu'un ne peut être qu'Enver.* » Qu'on substitue de Gaulle au nom d'Enver, et l'on aura probablement compris tout le Malraux d'hier.

Alors, et Malraux? Ce que ses lecteurs expriment dans

cette question souvent posée, c'est la nostalgie du Malraux d'avant-hier, celui d'*Espoir*. Faut-il ajouter Malraux à tous ceux dont l'œuvre est plus grande que la biographie, après avoir admiré longtemps chez lui justement l'accord de l'homme avec l'œuvre? Il n'est pas question d'enterrer Malraux : pas question, même pour ceux qui l'ont aimé, d'essayer de l'entraîner vers eux, encore que la tentation des lecteurs soit toujours de reconquérir un écrivain qui s'éloigne : *L'expérience prouve qu'on polémique avec une génération, mais c'est toujours celle qui la suit qu'on persuade.* Quoi que fasse et que devienne André Malraux, le meilleur de son œuvre nous enseigne à marcher seuls et, quand il le faut, nous passer de lui.

Gaëtan Picon
La rupture avec le communisme

Dans le cas Malraux, la rupture avec le communisme me paraît être un passage, non à la facilité, mais à la solitude et au risque. Rappelez-vous : Malraux a été avec les communistes au moment où il était assez difficile d'être avec eux; il les a quittés au moment où il devenait très facile d'être avec eux. Au moment où le Premier Parti de France entrait dans les conseils du gouvernement, occupait d'appréciables positions-clefs qu'il a été assez habile pour conserver après la perte de ses portefeuilles, au moment où, servi par l'une des presses les plus fortes et les plus tapageuses du pays, il s'affirmait le serviteur de la première puissance militaire du monde, de la seule, en tout cas, qui soit véritablement présente en Europe... Les militants de l'âge héroïque m'accorderont qu'un certain nombre d'adhésions récentes ne leur sont pas venues de ceux qui aiment la difficulté.

Enfin, le fait de proposer une question de ce genre (peut-on excuser Malraux d'être R.P.F.?) comme sujet

GAËTAN PICON, © *Esprit,* octobre 1948.

d'enquête à des *écrivains* me semble révéler d'assez graves confusions. De même que la signification d'une œuvre d'art n'est mesure de cette œuvre que pour ceux qui sont insensibles au langage propre de l'art, de même les positions spirituelles ne contiennent les positions politiques que pour ceux qui sont insensibles au langage propre de la politique. Je tiens Malraux pour l'un des rares intellectuels qui aient le sens du politique en tant que tel (est-il besoin d'ajouter que je ne l'y crois pas infaillible?). Si, dans son œuvre, le politique est une fiction dramatique, dans sa vie civique, il est une réalité particulière : chaque fois il obéit à la loi spécifique du domaine où il se tient. (Au même moment, d'autres sont politiques en littérature, et littérateurs en politique.) Ce n'est pas en méditant sur des concepts philosophiques ou des valeurs morales que Malraux a cessé d'être communiste : c'est, j'imagine, en réfléchissant sur une série de données politiques, diplomatiques, économiques précises. Malraux ne s'est pas séparé de la mystique communiste pour s'opposer ensuite à la politique communiste : il s'est trouvé à un moment donné en opposition totale et violente avec la politique communiste — ce qui l'a séparé, mais d'une façon non violente et, je le crois, *partielle,* de la mystique communiste.

Ce n'est pas à des écrivains qu'il appartient de dire — en tant qu'écrivains — s'il a eu raison ou non. Mais il appartient à des écrivains d'affirmer que son œuvre n'est pas, ne peut pas être altérée par son choix civique.

Claude-Edmonde Magny
Malraux le fascinateur

Jean Cassou, je crois, a dit de la poésie d'Éluard qu'elle était toute composée de temps forts. On pourrait dire des essais de Malraux qu'ils sont faits d'une suite de temps forts, d'affirmations juxtaposées, dis-

Claude-Edmonde Magny, © *Esprit*, octobre 1948.

continues, que ne vient relier nulle logique, nulle syntaxe, maintenues ensemble par la seule rhétorique des points et des alinéas, tout comme ses romans dressent les uns à côté et en face des autres (bien souvent aussi, au moins pour finir, les uns contre les autres) des personnages dont chacun est une existence unique, enfermée parfois malgré elle dans sa différence foncièrement impuissante à faire société avec les autres. On ne peut s'empêcher de se demander (ne fût-ce que par raison d'analogie) si les différentes « idées » dont Malraux forme ses essais sont plus compatibles entre elles que le monde de Ferral et celui d'Hemmelrich, les buts que poursuivent Kyo et le Kuomintang, Garine et Tchen-Daï, ou les mentalités diverses de Hernandez, Karlitch, Leclerc et Scali, Manuel et le Négus... Et si cette suite de fulgurations qui nous laissent aveuglés autant qu'éblouis quand nous lisons *Le Musée imaginaire* ou la conférence de l'Unesco peuvent être recomposées entre elles par la réflexion critique, et une fois les transitions rétablies entre elles, offrir à la pensée un système de structure cohérente.

La dislocation, qui existe au plan de la phrase et dans le style, se retrouve au niveau supérieur, dans la composition des ensembles. Pour les romans, elle est évidente, et le lecteur le plus pressé ne peut manquer de s'apercevoir que la classique continuité du récit s'y trouve remplacée par une juxtaposition de scènes parfois simultanées, le plus souvent successives, mais se déroulant en des lieux divers et concernant des personnages différents. On passe sans transition de l'une à l'autre, par une suite de déclics, et ce caractère haché de la narration (qui ne contribue pas à clarifier l'enchaînement des événements) est encore accru par le découpage à l'intérieur de chaque épisode, de la scène racontée en une série de *plans* analogues à ceux du cinéma et sans doute inspirés par eux; découpage qui augmente le relief du récit au détriment de sa continuité, l'esprit n'étant pas apte comme l'œil à recomposer ce qui lui est donné par saccades. Certes, il ne s'agit pas là d'un simple artifice, et la portée du roman se trouve accrue au-delà du simple récit par ce heurt des épisodes que l'auteur fait pour ainsi dire s'entrechoquer pour composer de leurs divers tintements le sens de son livre, à dégager par le lecteur. Mais ce discontinuisme semble fondamental chez Malraux, incapable sans doute de dire ce qu'il veut autrement que selon les modes de la pensée aphoristique seule présente dans ses essais, ou dans ces beaux romans disloqués et véritablement *décomposés* que sont *Les Conquérants, La Condition humaine, L'Espoir* et *La Lutte avec l'Ange,* totalement dépourvus de cet abondant tissu conjonctif, de cette pulpe dense et compacte où la tradition tant française qu'anglaise du XIXᵉ siècle nous avait appris à voir le signe d'un « vrai » roman. On comprend que *Les Conquérants,* par exemple, aient déconcerté les premiers lecteurs et fait longtemps figure d'œuvre d'avant-garde : avec ce livre s'amorce vraiment une conception révolutionnaire de la littérature, qui ne serait plus de consommation pure, mais réaliserait comme une coopération, dans la production de l'écrivain et du public, celui-ci étant invité à contribuer par un effort de prolongement et de reconstruction à la création de l'œuvre, du fait que celle-ci existe au-delà de cet aspect d'elle-même qui se trouve matérialisé sur le papier par les signes d'imprimerie, et, devenue non seulement roman, mais *sur-roman,* est tout autre chose qu'un objet aux contours précis, et définis une fois pour toutes : une invite à notre complicité.

Les romans de Malraux, faits tout entiers de *temps forts,* limités à la présentation de personnalités véhémentes ou à la description d'états de crises, obligent le lecteur à suppléer par l'imagination les *temps faibles,* les repos, les parties mortes et molles du récit où le temps se traîne normalement, languissamment, sans que rien d'insigne se produise, bref le tissu conjonctif de l'existence réelle. Quand, par aventure, la place des temps faibles est marquée dans le récit parce qu'ils sont nécessaires à son économie (comme il advient dans *La Voie royale*) elle est occupée, « meublée » pour ainsi dire par la rétrospection de scènes aussi violentes, aussi forcenées que celles de l'action en train de se dérouler, ou bien par des cliquetis de dialogues où des points de vue antagonistes, inconciliables, se croisent comme des épées. Mais rien ne sort de ces dialogues, et l'on peut à peine dire qu'une vraie conversation soit engagée entre les personnages, chacun restant à la fin

sur ses positions — même Gisors, même le Garcia de
L'Espoir qui sont comme les délégués à l'intelligence.
Lorsque Ferral dit à Gisors : *Ne trouvez-vous pas d'une
stupidité caractéristique de l'espèce humaine qu'un homme
qui n'a qu'une vie puisse la perdre pour une idée?* il affirme
une évidence irréfutable, mais irréfutable aussi est la
réponse de Gisors : *Il est très rare qu'un homme puisse
supporter comment dirai-je? sa condition d'homme...* qui
fonde une position comme celle de Kyo, pour qui
tout l'effort humain tend à justifier cette condition en
la fondant en dignité. Il n'y a rien de même à opposer
à ce que dit ailleurs Gisors : « *La maladie chimérique,
dont la volonté de puissance n'est que la justification intellectuelle, c'est la volonté de déité : tout homme rêve d'être dieu.* »
Mais, d'autre part, comme le dit un personnage de
L'Espoir, c'est avec cette volonté d'être dieu que
commence la saloperie. Toute l'œuvre de Malraux est
ainsi écartelée, sans résolution possible, entre deux
positions au moins : un antihumanisme foncier (qui se
traduit suivant les cas par l'orgueil intellectuel, la
volonté de puissance, l'érotisme, etc.) et une aspiration
finalement irraisonnée à la charité, une option ration-
nellement injustifiable en faveur de l'homme.

André Rousseaux
La Révolution d'André Malraux

Ce que Malraux demande à l'aiguillon de la mort,
c'est donc de donner à l'homme le sens de la vie, il
vient de nous le dire expressément. Mais quel sens?
Il n'y a pour la vie qu'un triomphe réel sur la mort :
c'est l'immortalité. Or l'immortalité n'a aucune place
dans la pensée d'André Malraux. L'homme selon
Malraux ne se survit jamais, ni par son âme, ni par sa
substance sociale. L'anéantissement final est pour lui

ANDRÉ ROUSSEAUX, *Littérature du XXᵉ siècle*, III, © éditions Albin
Michel, 1948.

une certitude qui ne tolère aucune consolation. Il a proclamé, aux dernières pages de *La Voie royale* sa « *haine pour ceux qui se consolaient avec les dieux* », sa conviction farouche « *qu'aucune pensée divine, qu'aucune récompense future, que rien ne pouvait justifier la fin d'une existence humaine* ». La mort, pour Malraux, n'est pas le vieux capitaine de Baudelaire, qui invite à l'embarquement pour le voyage éternel. Elle est, bien plutôt, la terrible partenaire stendhalienne, dont l'homme reçoit le défi de se colleter avec le néant. Le héros de *La Lutte avec l'Ange* déclare : « *Je ne pense qu'à ce qui tient contre la fascination du néant.* » Plus explicitement encore, Malraux écrit dans le même livre : « *Le plus grand mystère n'est pas que nous soyons jetés au hasard entre la profusion de la matière et celle des astres : c'est que, dans cette prison, nous tirions de nous-mêmes des images assez puissantes pour nier notre néant.* » La valeur de la vie humaine tient donc essentiellement à notre volonté de vivre, dans cette marge qui nous est laissée et où nous nous opposons à la mort qui nous prendra. Il dépend de nous que dans ce champ la vie acquière la réalité que notre action lui donnera. Voilà pourquoi il s'agit, avant tout, de « *se lier à une grande action quelconque et de ne pas la lâcher* », comme il est dit dans *La Voie royale*. Et *La Lutte avec l'Ange* contient cet aphorisme : « *L'homme est ce qu'il fait.* » On avait pu lire déjà, dans *La Condition humaine* « *un homme est la somme de ses actes, de ce qu'il a fait, de ce qu'il peut faire* ». Un chapitre de *L'Espoir* a pour titre « *Être et faire* ». Malraux pense, comme Valéry, que par ce qu'il fait l'homme se fait lui-même et accède à l'être. L'art, à ses yeux, vaut moins par sa beauté que par la force de création qu'il y a en lui. Le jour où un sculpteur a pétri dans la terre glaise un visage humain, « *ce jour-là, l'homme aussi a tiré l'homme de l'argile* ». On voit où tend cette force que l'humanisme de Malraux demande à l'action de l'homme : à rien de moins que de rendre un sens à la création qui, sans cette vertu active, n'en aurait pas. Malraux, qui a répudié le Créateur traditionnel, reprend la création au compte de l'homme, au compte de sa volonté et de son énergie. « *L'âge du fondamental commence* », professe Alvear dans *L'Espoir*. Sans doute le Créateur avait ce privilège d'être l'Éternel, et, faisant le monde à son image, de lancer sur la voie de l'éternité le destin de sa Création. L'ambition créatrice de l'homme selon Malraux, en bannissant l'éternité, s'est fermé cette perspective et voue à l'angoisse d'un sort précaire la vie qu'elle prétend faire naître; tant pis, que cet homme naisse d'abord à lui-même par la vertu de l'action. Tel est le sens de cette phrase de *La Lutte avec l'Ange* : « *Peut-être est-elle empoisonnée dès l'origine, la joie qui fut donnée au seul animal qui sache qu'elle n'est pas éternelle. Mais ce matin je ne suis que naissance.* » Oui, le poison de la condition humaine est bien la certitude inexorable que notre vie est acculée au néant. Mais le moyen de desserrer cet étau, le seul moyen est de rompre avec la création telle qu'elle est, pour la remettre en marche selon notre initiative et notre décision. Alors, alors seulement, l'homme qui a renié Dieu et perdu l'éternité voit réapparaître dans sa vie, mieux, en lui-même, quelque chose de comparable en valeur à l'éternel et au divin, — ainsi qu'il est dit dans ces lignes capitales de *La Lutte avec l'Ange* : « *Quelque chose d'éternel demeure en l'homme, en l'homme qui pense... quelque chose que j'appellerai sa part divine : c'est son aptitude à mettre le monde en question.* » [...]

Cependant, à peine cela posé, il nous faut ajouter que l'attitude de Malraux arme mieux les raisons de vivre qu'elle ne les nourrit. Même, quand il manie ce grand mot de *raison de vivre,* qui sous-entend une si grave profondeur, une si vaste immensité, Malraux reste en deçà des questions qu'il pose vraiment. Ou plutôt, et c'est plus fâcheux, la solution sommaire qu'il donne à ces questions masque leur vérité plus qu'elle ne les éclaire. Si bien que sa force apparente recouvre en fait une faiblesse. Au point même où certains croient voir la qualité souveraine d'où émane un message de première grandeur, un examen un peu plus attentif décèle une faille des plus sérieuses, qui compromet cette attitude virile dans sa valeur la plus éminente : dans l'authenticité même de sa vertu héroïque.

On s'en avisera vite avec nous, si l'on observe combien cette attitude où s'érige la force d'André Malraux comporte de fondamentales contradictions. S'il y a deux mots qui semblent appelés à qualifier Malraux, ce sont les mots d'*aventure* et d'*héroïsme.* Or à y bien regarder, ni lui ni ses personnages n'ont droit à ces mots-là.

Car on ne correspond pas à de tels titres seulement par le courage, le goût du risque et celui de jouer sa vie. Il y faut essentiellement le don de soi. Un homme d'aventure, Don Quichotte par exemple, c'est un homme qui se donne à toute cause, à tout autre homme, à tout objet. Un héros, c'est un homme qui donne sa vie, qui se perd pour sauver quelque chose ou quelqu'un. Or Malraux, tous ses personnages nous le disent, n'est pas un homme qui consent à se perdre, mais un homme qui veut gagner. Non pas gagner bassement, sans doute, comme les envieux ou les avares; gagner, certes, sur les couleurs nobles du jeu terrestre. Malraux n'en est pas moins, nous l'avons vu, le contraire d'un homme qui donne; c'est un homme qui prend. Être sans amour, il est privé de l'âme de l'aventure, qui est une folle générosité à l'égard de la vie et des vivants. (On voit bien qu'il est sans amour par son érotisme, pour qui le partenaire, en amour, est surtout un objet d'enrichissement pour la conscience de soi.) Joueur, il ne joue pas pour jouer, mais pour obtenir un gain auquel sa vie tient comme à une ressource capitale.

Pour aller jusqu'au bout de cette vérité, il faudrait dire que le jeu de Malraux ne se joue pas sur le plan de l'héroïsme, mais sur celui de la sainteté, et que sous son héroïsme apparent il y a une sainteté manquée. [...]

Ni un héros, parce qu'il ne consent pas à l'acte héroïque par excellence, qui est le sacrifice tout pur et sans contrepartie; ni un saint, parce que la nécessité où il est de jouer gagnant demeure en deçà des gains éternels. Il a la loyauté d'affirmer, et même énergiquement, sa volonté de gagner la partie en deçà de la mort. Il ne peut pas faire que sur ce champ-là, ce ne soit pas le salut qui soit atteint, mais le bonheur. [...]

La Psychologie de l'Art, sommet de son œuvre assurément, me paraît confirmer une volonté de bonheur qui s'efforce de combler le vide où cet exilé du salut se débat désespérément.

Claude Roy
[*Le marxisme de Malraux*]

Le marxisme de Malraux est court. Il est juste et facile de le trouver, rétrospectivement, insuffisant. Celui qui ne connaîtrait Marx qu'à travers Malraux ignorerait tout le développement d'analyse historique, la méthode qui fait passer Marx de ces constatations, contenues dans Malraux, à l'action révolutionnaire elle-même. Il reste que Malraux propose des points de départ justes, un petit nombre d'admirables formules de philosophie pratique, réchauffées et avivées par les images romantiques, mais belles et vraies, qui les enveloppent, par ce qu'on savait de la biographie de Malraux lui-même, et le soin qu'il avait pris de l'organiser.

Le Marx de Malraux est limité ; il n'est pas caricatural, Malraux a sans doute peu lu Marx. Il l'a cependant moins déformé et trahi à l'époque que tous ceux, prétendus marxistes ou antimarxistes déclarés, qui inclinent sa philosophie vers un déterminisme, un mécanisme ou un scientisme. Le marxisme est d'abord un humanisme. La philosophie de Marx suppose une réaction morale et, à son départ, une prise de conscience intérieure. « *La répulsion est la première forme de la conscience de soi-même* », écrit Marx, qui va jusqu'à justifier la phase historique de la propriété privée en disant que « *l'essence humaine devait tomber dans cette pauvreté pour pouvoir faire naître d'elle-même sa richesse intérieure* ». Que l'accent soit mis, dans l'action, sur la fatalité ou sur la liberté, sur une décision de l'homme ou une mécanique des choses, cela dépend des communistes eux-mêmes. Les hommes de mon parti ne trahissent pas Marx dans l'œuvre duquel l'accent est mis sur l'homme, sa volonté et ses fins : « *L'activité et la passion humaines considérées humainement, c'est la joie que l'homme se donne à lui-même.* »

Voilà pourquoi, dix ans après sa publication, *L'Espoir* peut encore conduire au communisme des lecteurs qui

Claude Roy, *Descriptions critiques*, © éd. Gallimard, Paris 1949.

iront fortifier et nourrir ailleurs leurs raisons de prendre ce parti. Il n'est pas, en revanche, une ligne de Malraux, pas un mot de lui qui puissent *fonder* doctrinalement une prise de position néo-fasciste, amener un lecteur à souhaiter un gouvernement à poigne, un dictateur à mépris de fer et gant de velours, ni le pouvoir des hommes « d'ordre ». Pendant vingt ans le débat chez Malraux s'établit entre deux notions de la Révolution; pas entre la Révolution et la Contre-Révolution. « *Dimitroff contre Durutti, c'est une morale contre une autre, ce n'est pas une combine contre une morale.* » Il y a des fascistes dans *La Condition humaine,* dans *L'Espoir.* Ce sont rarement des caricatures, mais il y a entre eux et Malraux, ou ses protagonistes, toute la distance qui sépare l'orgueil de la fraternité. Dans *La Condition humaine* il y a déjà un général qui est associé avec les communistes dans une guerre de libération nationale, et dont un représentant déclare : « *Les Communistes sont fort traîtres : ils nous trahissent, nous, leurs fidèles a-lli-és. Il a été convenu que nous collaborerions ensemble et que la question sociale serait posée quand la Chine serait unifiée. Et déjà ils la posent. Ils ne respectent pas notre contrat. Ils ne veulent pas faire la Chine, mais les Soviets. Les morts de l'armée ne sont pas morts pour les Soviets, mais pour la Chine. Les Communistes sont capables de tout.* » Ceci est dit avant la répression, qui envoie les communistes brûler vifs dans les chaudières des locomotives. C'est un langage que Malraux prend alors si peu à son compte, que l'officier de Tchang-Kaï-Chek qui le tient, comme aujourd'hui Rémy, Soustelle (et Malraux) — est justement un des comparses *caricaturaux* du livre. Il est un de ces personnages dont la vie n'a pas de sens; celle de Kyo en a un : « *donner à chacun de ces hommes... la possession de sa propre dignité* ». Les propos de Kyo, de Kassner, de Magnin sont toujours capables d'éveiller des âmes à une prise de conscience révolutionnaire du monde. Les propos de l'aide de camp de Tchang ne feront jamais d'un petit jeune bourgeois un mangeur de rouges. Nous nous promenons dans l'œuvre de Malraux comme dans les salles d'une demeure désertée par celui qui l'a bâtie et faite autrefois vivante [...]

Le diable a moins besoin de de Gaulle que de Gaulle n'a besoin du diable. Malraux reste indéchiffrable.

Jean-Paul Sartre
[*L'aventurier et le militant*]

Aventurier et militant ne s'opposent pas simplement comme deux concepts abstraits. Ce sont des hommes vivants qui s'affrontent, se connaissent et se reconnaissent, quelquefois s'allient et se combattent quelquefois. Je voudrais essayer, en manière de conclusion, de débrouiller quelques-uns des rapports complexes qui les unissent, c'est-à-dire de développer quelques-unes des idées que Stéphane m'a suggérées.

Le militant inspire d'autant plus confiance que son entrée au Parti a paru plus nécessaire. Et je n'entends pas parler de cette nécessité intérieure, toujours suspecte, qui naît de conflits intestins, de complexes, d'aspirations morales et, plus généralement, de ce qu'on nomme « raisons personnelles ». Il est très vivement souhaité, au contraire, que son adhésion soit dictée par des raisons impersonnelles comme la faim, par exemple, qui est à tout le monde, ou la peur et la colère qui ravagent la foule anonyme : bref qu'il soit encore nature et mû par les grandes forces naturelles qui traversent les animaux élémentaires et les disposent de façon ou d'autre sans qu'ils aient besoin de posséder un appareil nerveux. La colère, la peur et la faim ne suffisent pas à faire une personne et c'est ce qu'il faut. Car il n'est pas vrai que l'on vous demande d'abdiquer votre Moi : ce serait encore trop d'avoir un Moi à abdiquer. Il faut que l'entrée au Parti corresponde très exactement à l'accession au règne humain; votre Moi, bien loin de vous l'ôter, il vous le donne. Je le dis sans ironie : il est doux, certainement, de se découvrir dans les yeux fraternels des autres. Le nouveau militant ne sera pas l'objet d'une antipathie de principe ni d'un engouement irréfléchi. Avant toute chose on le reconnaîtra pour un

JEAN-PAUL SARTRE, Préface au *Portrait de l'Aventurier* de Roger Stéphane, Sagittaire, 1950, réédité en 1965, © éd. Bernard Grasset.

semblable, c'est-à-dire pour un membre du Parti : c'est une consécration. En lui, le Parti en lui-même et en tous les autres. Créature du Parti, il retrouvera le Parti où qu'il aille. Entre lui et ses plus intimes amis, le Parti sera médiation nécessaire. « *Prends ta femme dans le Parti*, disait-on à un jeune communiste, *comme ça il n'y aura pas de temps perdu.* » Il n'est jamais seul puisqu'il vient à lui-même à partir de tous. Il n'a ni profondeur ni secret. On lui refuse jusqu'au plus humble complexe : on le constitue à ses propres yeux par des données rigoureusement objectives, on l'explique par sa classe, par la conjoncture historique ; il se voit du dedans comme on le voit du dehors : pas de tiroir secret ni de double fond ; c'est pour la commodité qu'il ne parle pas de lui à la troisième personne. Au reste son existence n'est pas celle d'une pure abstraction : il se connaît comme un membre de la classe et du Parti qui font l'histoire, il sait qu'il est défini par des tâches précises et par un grand espoir, il connaît aussi son cœur qui se nourrit de haine et d'amitié. Pour le reste, il se singularisera par ses actes. Encore ne s'agit-il pas qu'il « *crée de soi... le plus irremplaçable des êtres* ». Le Parti n'a que faire des êtres irremplaçables. Le militant reste à mi-chemin entre l'irremplaçable et l'interchangeable : il sert, c'est tout. En 1935, Politzer faisait ce qu'aucun autre ne pouvait faire : de la psychologie concrète. Mais il fallait des économistes. Il abandonna la psychologie pour l'économie sociale. « Et vos travaux ? » lui demandai-je. « *Cela ne presse pas,* me dit-il. *Après la révolution, viendront d'autres travailleurs qui feront cela mieux que je ne puis à présent.* » N'est pas militant qui veut. Si le Moi vient d'abord, on est séparé pour toujours.

[...] Les héros cependant sont les parasites des militants. Il faut un prétexte à l'héroïsme, sinon il ne sera qu'un suicide. Et tout le désespoir des destructeurs serait inefficace s'il n'était porté par l'immense espoir des masses. Pour que leurs funérailles soient pompeuses, pour qu'ils vivent longtemps dans la mémoire des hommes, il faut qu'ils aient combattu « *pour ce qui de leur temps aura été chargé du sens le plus fort et du plus grand espoir* ». Ainsi contracteront-ils des alliances avec un mouvement révolutionnaire ou un parti de résistance nationale. Mais ces rapprochements ne sont que provisoires et l'aventurier ne se chargera que des besognes négatives : il sera terroriste ou officier. Au reste il demeure suspect à ses alliés et il ne les aime pas : « *Je n'aime même pas les pauvres gens, ceux en somme pour qui je vais combattre... Je les préfère uniquement parce qu'ils sont les vaincus.* » Il est frappant que Lawrence et beaucoup des héros de Malraux soient des *étrangers* dans le pays où ils se battent. Au XIXe siècle l'écrivain riche allait faire l'amour et dépenser son argent hors de sa patrie : consommateur étranger dans une collectivité laborieuse, il lui plaisait d'être l'image parfaite du parasitisme. Aujourd'hui l'écrivain aventurier, dans les mêmes pays, va risquer sa peau : parasite héroïque, il demande à ces combattants qui n'ont pas choisi leur combat de légitimer une mort qu'il a choisie ; la différence des langages et des mœurs lui permet de garder ses distances. L'importance des fins collectives illumine l'action de l'aventurier mais c'est un éclairage indirect.

Cependant la position est intenable : l'efficacité de nos aventuriers leur est *prêtée* par des hommes passionnés et tenaces qui n'obéissent à leurs ordres que pour mieux pouvoir les utiliser. Et la société que les militants veulent édifier exclut rigoureusement les *desperados* et leurs libéralités magnifiques. Dans une société de producteurs, les terroristes n'ont pas de place. Tchen savait bien que « *le monde qu'ils préparaient ensemble le condamnait autant que celui de leurs ennemis* ». Dans ce monde où les hommes se reconnaissent dans et par leur travail, il n'y a aucune chance pour que la singularité de son être soit reconnue. Et ce qui est pis, on y oubliera jusqu'à leur mémoire. Leur mort même paraît compromise : on ne saura plus la comprendre comme une libéralité gratuite, on la confondra avec le dévouement obscur d'autres militants. Le moment de la victoire sera le commencement de leur échec. Peuvent-ils vouloir le triomphe d'un parti qui les enterrera deux fois ? Mais s'ils ne le veulent pas, l'héroïsme s'effondre : il reste le suicide. Entre la plus folle générosité et le suicide le plus égoïste, l'action de l'aventurier oscille sans jamais s'arrêter. Elle réclame une foi et détruit toute foi : mystifié s'il croit à ce qu'il fait, imposteur s'il n'y croit pas. Il se rétracte, il se crispe sur sa volonté destructrice, la guerre d'Espagne, où il se bat, lui paraît une « *hideuse comédie* », il conteste la fin objective qui le conteste dans ses fins : « *Le gain que vous apporterait la libération économique, qui me dit qu'il sera plus grand que les pertes apportées par la société nouvelle ?* » et comme il voit qu'il va mourir pour rien, il veut affirmer du même coup la vanité de toute entreprise : « *les hommes meurent pour ce qui n'existe pas* ». Engagé dans l'action pour échapper à la solitude, voilà qu'il se retrouve plus seul que jamais. Comment s'en étonner : ce prodigue qui se dépense pour le plaisir sera toujours *autre* que ses alliés; ils le considéreront toujours comme un suspect : il n'était pas *obligé* de se battre. Et d'ailleurs que veut-il d'eux? La fraternité, la camaraderie, l'amitié? Oui, bien sûr. Mais cela signifie surtout qu'il leur demande d'être les témoins de sa mort. Les camarades d'un aventurier sont ses futures pleureuses, les dépositaires de son destin. « *Il n'y a pas*, dit Malraux, *de héros sans auditoire.* »

[...] Le militant a raison en *tous* points : il s'est donné sans un retour sur soi au Parti, il a poursuivi son labeur sans une défaillance, il a aimé tous ses frères et, quand l'un d'eux, par sa propre faute, était exclu du Parti, il cessait de l'aimer aussitôt parce que ce n'était plus son frère; la société qu'il voulait édifier est la seule qui soit juste. L'aventurier avait tort : égoïsme, orgueil, mauvaise foi, il avait tous les vices de la classe bourgeoise. Pourtant, après avoir applaudi à la victoire du militant, c'est l'aventurier que je suivrai dans sa solitude. Il a vécu jusqu'au bout une condition *impossible :* fuyant et cherchant la solitude, vivant pour mourir et mourant pour vivre, convaincu de la vanité de l'action et de sa nécessité, tentant de justifier son entreprise en lui assignant un but auquel il ne croyait pas, recherchant la totale objectivité du résultat pour la diluer dans une absolue subjectivité, voulant l'échec qu'il refusait, refusant la victoire qu'il souhaitait, voulant construire sa vie comme un destin et ne se plaisant qu'aux moments infinitésimaux qui séparent la vie de la mort. Aucune solution de ces antinomies, aucune synthèse de ces contradictoires. Abandonné à lui-même, chaque couple se déferait, les deux termes tombant chacun de son côté, ou s'anéantirait, les deux termes s'annulant l'un l'autre. Pourtant, au prix d'une tension insupportable, cet homme les a maintenus ensemble et tous à la fois, dans leur incompatibilité même; il a été la conscience permanente de cette incompatibilité. Je le regarde s'éloigner, vaincu et vainqueur, déjà oublié dans cette cité où il n'a pas de place et je pense qu'il témoigne à la fois de l'existence absolue de l'homme et de son impossibilité absolue. Mieux encore : il prouve que c'est cette impossibilité d'être qui est la condition de son existence et que l'homme *existe* parce qu'il *est* impossible.

Et le militant? Que lui souhaiter à l'aube de sa nouvelle journée? Qu'il apprenne à récupérer les non-récupérables. [...] Une cité socialiste où de futurs Lawrence seraient radicalement impossibles me semblerait stérilisée. Et même si Lawrence, aux yeux des socialistes, était le Mal lui-même, je maintiens que le but ne doit pas être de supprimer le Mal, mais de le conserver dans le Bien.

« Voilà les derniers aventuriers, me dit Stéphane; après eux il n'y aura plus que des militants. » Je le souhaite si les militants doivent recueillir l'héritage des vertus aventurières. [...] Aventurier ou militant : je ne crois pas à ce dilemme. Je sais trop qu'un acte a deux faces : la négativité, qui est aventurière, et la construction qui est discipline. Il faut rétablir la négativité, l'inquiétude et l'autocritique dans la discipline. Nous ne gagnerons que si nous tirons toutes les conséquences de ce cercle vicieux : l'homme est à faire et c'est l'homme qui seul peut faire l'homme.

Roger Stéphane
[*Les silences de Malraux*]

Depuis la révolution russe, le goût de l'efficacité a drainé vers le communisme presque toutes les révoltes individuelles. Et celles qui résistèrent à ce courant ne

Roger Stéphane, *Portrait de l'Aventurier*, Sagittaire, 1950. Une réédition de *Portrait de l'Aventurier* a été donnée en 1965 par les éditions Bernard Grasset.

purent être efficaces que tolérées par les communistes. Pour la première fois depuis 1789, un mythe s'était transformé — ou avait paru se transformer — en réalité. Pour la première fois, le sourd élan révolutionnaire des peuples s'appuyait sur une nation devenue ainsi exemplaire. C'est dire qu'il fallait compter avec le communisme dès que l'on voulait se mesurer avec la démocratie bourgeoise, ou, *a fortiori* avec le fascisme.

Le marxisme ayant rationalisé la révolte, il était logique que Malraux commençât par se heurter à lui. Mais aussi bien au cours de la préhistoire de la révolution chinoise que pendant la guerre d'Espagne, l'espérance de la révolution fut, par l'urgence même des combats quotidiens, reléguée au second plan. Avant d'être marxistes, les communistes sont alors des hommes qui *ont toutes les vertus de l'action et celles-là seules.* Ces vertus sont d'ailleurs essentielles parce qu'il n'y a qu'*une manière de combat, c'est d'être vainqueur.* Et les conséquences de la lutte échappent, selon Malraux, à l'homme : *la révolution porte en elle toutes ses fatalités.* C'est dire que, vu sous l'angle de l'action, le marxisme tend à devenir *un art, une méthode beaucoup plus qu'une science.*

En dehors de cette conception purement tactique, empirique, Malraux ne verra guère dans le marxisme que *la forme d'une fatalité.* Quant à son contenu ou à sa prétention métaphysique, il l'ignore délibérément, ou, plus exactement, il lui en substitue un nouveau que Lénine eût peut-être, à la rigueur, accepté, mais qui n'eût pas laissé de surprendre Marx et surtout Engels : *Le marxisme n'est pas une doctrine, c'est une volonté (...), c'est la volonté de se connaître, de se sentir comme tel : être marxiste non pour avoir raison, mais pour vaincre sans se trahir.* Garine même va plus loin dans le refus, estimant que *la doctrine révolutionnaire est un fatras doctrinal. (Une bonne inoculation du marxisme aurait pu préserver l'auteur de fatales méprises de cet ordre* [1], dit Trotsky, qui qualifie

---

1. « Il s'agit de la façon idiote dont le marxisme était compris et exposé par des personnages déterminés », répond Malraux à Trotsky (N.R.F., avril 1931). Il ne semble pas qu'aujourd'hui, écartelé entre le « dogmatisme » et le « revisionnisme », le marxisme se soit libéré d'une certaine confusion. *(Note de Roger Stéphane.)*

un peu plus loin les conceptions de Malraux de *conjonc-tures de dilettante.*) Il est révélateur que Malraux n'évoque pas une fois, au cours de son œuvre, si riche pourtant en débats idéologiques, la conception matérialiste du monde et de l'histoire. Ce n'est donc pas solliciter Malraux que de poser qu'il ne s'est lié avec les commu-nistes que dans la mesure où, pour lui, leur marxisme ne dépassait pas le stade de la méthodologie insurrec-tionnelle — et où cette méthodologie lui semblait un efficace instrument de résistance à la subversion fasciste.

Soucieux de bien marquer qu'il limite son adhésion à la révolution et non à l'ordre qu'elle prétendra instau-rer, non à la conception du monde qu'elle implique, Malraux énonce son objection fondamentale : *que penser si, pour libérer économiquement les hommes, il faut faire un état qui les asservisse politiquement ?*

— *Pour un homme qui pense, la révolution est tragique, mais pour un tel homme la vie aussi est tragique et si c'est pour supprimer la tragédie qu'il compte sur la révolution, il pense de travers... Ni la révolution ni la guerre ne consistent à se plaire... Nous sommes tous peuplés de cadavres, tous, le long du chemin qui va de l'éthique au politique.*

À moins de se prendre pour une bonne âme profes-sionnelle, il n'est pas possible à un homme de dire à tous moments toutes les vérités, si tant est même que les vérités auxquelles il accède puissent se fondre en une vérité. Quand Malraux combat en Espagne et quand il transcrit ou imagine le dialogue que je viens de citer, il y a pour lui une nécessité impérieuse : Franco doit être vaincu (*Il n'y a qu'une manière de combat, c'est d'être vainqueur*). Tous ceux qui apporteraient des argu-ments à ses partisans, à ses défenseurs, iraient à l'en-contre de ce combat. Et pourtant *les cadavres qui peuplent le chemin qui va de l'éthique au politique* commencent à s'amonceler dangereusement.

« *Toute l'eau de la mer ne suffit pas à laver une goutte de sang intellectuel* », écrivait déjà Lautréamont ; les cadavres sont une chose et les perversions de l'esprit qui les justifient en sont une autre. Qui étudiera un jour sérieu-sement la vie de l'esprit entre 1930 et 1960 sera stupé-fait des sophismes par lesquels quelques intellectuels tentaient de justifier l'injustifiable. On aura compris que je n'appelle pas sophisme la prise en considération de l'opportunité politique. On ne peut pas toujours lutter sur deux fronts et l'on subit plus ses alliés qu'on ne les choisit. Ce n'est point le silence que je mets en cause, mais l'apologie zélée. Malraux s'est tu. De nombreux intellectuels français se sont déshonorés. Je ne parle pas des intellectuels de droite, de ceux-là mêmes qui approuvaient Hitler ou Mussolini, qui apportaient une épée d'honneur à un général franquiste. Ils étaient dans leur logique, dans cette logique que l'on vit s'épanouir sous l'occupation. Ce qui importe, c'est l'attitude des intellectuels que l'on appelait de gauche. Il y avait eu en Russie, en 1937, le procès des militaires soviétiques qui devait coûter la vie au maréchal Toukhatchevsky. Sommairement antimilitaristes, les Français ne s'étonnèrent pas outre mesure de l'hypothèse de la trahison d'un maréchal : mais ce procès fut suivi d'autres au cours desquels la « vieille garde bolchevique » se vit accuser des pires crimes. Spectacle historique inédit, les accusés de Moscou renchérirent sur leurs accusateurs, ajoutèrent des détails invraisemblables aux invraisemblances des accusations. Toute une tradition libérale française avait, depuis près de deux siècles, lutté pour l'abolition de la question, lutté pour que l'aveu ne soit point retenu comme preuve. Ces mêmes libéraux — ou certains d'entre eux du moins — utilisèrent les « aveux » des accusés de Moscou pour justifier leur assassinat. Dès 1937, n'importe quel esprit libre pouvait comprendre que la Russie bolchevique se transformait en un état totalitaire avec ordre moral, chauvinisme, police, inquisition, tortures, assassinats. On aurait pu croire que la gauche française allait se désolidariser des staliniens. Mais brusquement, cette gauche se révéla antidreyfusarde. *L'idée fameuse et absurde de totalité rend les intellectuels fous : civilisation totalitaire au XXe siècle est un mot vide de sens (L'Espoir).* Les intellectuels dits de « gauche » cédèrent à la fascination du totalitarisme et fous d'orthodoxie, comme l'on dit fous de Dieu, fermèrent pudiquement les yeux sur des crimes abjects. On ne saura jamais assez gré à André Gide d'avoir exprimé son angoisse; à Malraux, combattant antifasciste de n'avoir jamais cédé sur un point à la pression communiste.

Cependant, et tandis que s'efface le R.P.F., les grands livres de Malraux sur l'art ont commencé à paraître : *Le Musée imaginaire* (**1947**), *La Création artistique* (**1948**), *La Monnaie de l'Absolu* (**1949**), bientôt réunis sous le titre : *Les Voix du Silence, Saturne* (**1950**), *Le Musée imaginaire de la Sculpture mondiale* (**1952-1954**), *La Métamorphose des Dieux* (**1957**). Les discussions prennent un cours nouveau, mais les études générales demeurent nombreuses, car l'œuvre romanesque, parue en Livre de Poche, est toujours très lue.

Gaëtan Picon
Malraux et la psychologie de l'art

Qu'un écrivain soit lié à tel point à l'univers des arts plastiques — au point que la littérature lui semble une équivalence plastique et non l'inverse, comme il est habituel — le fait est rare et demande quelques explications. Ce rapport privilégié entre la sensibilité et les dons d'expression de Malraux et, d'autre part, le domaine des arts plastiques, nous l'avions toujours soupçonné. À le lire, Malraux apparaît vite comme un regard merveilleusement attentif au langage des couleurs et des formes : chacun de ses livres a une couleur, un éclairage. Il y a une tonalité des *Conquérants,* qui n'est pas celle de *La Voie royale. La Condition humaine* nous laisse le souvenir d'un heurt tragique d'ombres et de lumières qui l'apparente aux *Désastres de la guerre* de Goya plus qu'à n'importe quelle autre œuvre romanesque. Et *L'Espoir* est un livre tour à tour ocre, vert sombre et rouge sang.

Il arrive très souvent que l'image, chez Malraux,

GAËTAN PICON, *Liberté de l'Esprit,* avril et mai 1949.
Ce texte a été repris dans *Gaëtan Picon : L'Usage de la lecture* (© Mercure de France, 1960).

n'exprime le monde qu'à travers le langage d'une culture plastique : on se souvient du chien-loup de Manuel, « allongé comme ceux des bas-reliefs », des réfugiés sur les routes d'Espagne, marchant « avec le mouvement séculaire des fuites en Égypte ». À chaque instant, l'écrivain fait appel aux ressources d'une mémoire visuelle que hantent les mille spectacles du « Musée imaginaire ».

Ce qui unit Malraux à l'art plastique, c'est autre chose encore. Et peut-être une certaine impatience. Ce qui frappe chez Malraux, chez l'homme comme chez l'écrivain, c'est l'extraordinaire rapidité de la compréhension, de l'expression, du réflexe : il aime ce qui lui permet d'exercer au maximum ce pouvoir de rapidité, ce qui se laisse saisir et emporter d'un coup. Il aime l'ellipse, la formule rapide et dense, l'image-choc, l'aphorisme : non pas l'explication, le commentaire, la rhétorique, le système ; il aime l'univers des tableaux plus profondément que celui des livres. Aimer les romans, comme Alain l'a bien montré, c'est aimer la lenteur, la lente traversée d'une épaisseur. Malraux écrit des romans, mais préfère voir un tableau à lire le roman d'un autre. Et il est remarquable que, lorsqu'il évoque un univers romanesque, c'est en le réduisant à une équivalence plastique. Il y a, dans *Les Noyers de l'Altenburg,* une page bien significative où il parle de Dickens, de Balzac, de Dostoïevsky comme il parlerait de Rembrandt ou de Goya : « *les ombres ambitieuses dans le clair-obscur du Paris de Balzac* », « *les figures de tendresse sous le halo de la lanterne de Dickens...* ».

Plus profondément, et en allant de la sensibilité à la pensée, il faut dire qu'il n'y a pas de symboles plus actifs, plus immédiats et plus fidèles d'une époque que son expression plastique. Le lien qui unit Malraux à l'art est aussi le lien qui l'unit à l'histoire. Les musées, ce sont les églises de l'histoire : les âges se lèvent les uns après les autres, hallucinants de vie, et plus vivants que la vie même, quand on traverse les salles d'un musée. Lorsque Vincent Berger pense à l'Europe dans le désert d'Afghanistan, c'est d'un musée qu'il rêve, en même temps que d'affiches, de chapeaux de femme et de vitrines : tous symboles de l'Occident, de la terre où le temps de l'histoire ne cesse pas de sonner.

Mais l'art n'est pas seulement expression historique : il est la manifestation d'une puissance de l'homme qui est de tous les temps. Et si Malraux la recherche de préférence dans les arts plastiques, c'est qu'ici le geste créateur est inséparable de l'œuvre : l'œuvre apparaît comme ce geste même, coulé dans le bronze ou posé sur la toile, devenu statue ou dessin. Tout l'effort de Malraux consiste à découvrir *ici et maintenant,* incarné dans cet instant et ces lieux de l'histoire dont il ne peut ni ne veut se détacher, quelque puissance capable de fonder le sens d'une destinée humaine en face des images de la mort et du néant. [...]

Il est facile assez d'opposer à toute synthèse l'exception analytique : j'imagine que les spécialiste ne s'en priveront pas. Et il se peut que les grands cadres dressés par Malraux demandent retouches et précisions. Mais la question est de savoir s'il est possible de proposer un principe plus satisfaisant de classification. Or, que l'affirmation du Sacré conduise à une destruction des apparences, que l'accusation individuelle nous jette dans la même tentative de destruction, que l'humanisme optimiste, par contre, qu'il soit théologique, païen ou rationnel nous engage dans une représentation transfigurée de l'apparence, cela ne paraît guère contestable. Il est difficile de nier que le lien entre culture et art ne prenne fondamentalement cette forme.

Mais l'œuvre d'art dépend-elle fondamentalement de son lien avec la culture? Ici, certains verront peut-être une contradiction entre le point de vue historique de Malraux (qui est un point de vue culturel) et sa psychologie de la création. L'art provient-il de l'art, ou provient-il de la culture? Mais Malraux livre la solution lorsqu'il dit qu'aucun art n'est l'expression *rationnelle* de valeurs : la culture détermine les cadres à l'intérieur desquels l'art va poursuivre sa dialectique spécifique. Schèmes historiques et psychologie de la création sont complémentaires. Il se peut que Malraux n'ait pas suffisamment insisté sur ce rapport. N'importe : il nous donne les clés, à nous d'en apprendre l'usage. C'est ainsi que les objections que peut faire naître, dans l'esprit du lecteur, l'analyse de l'art moderne, trouvent leur solution dans la psychologie de la création. Si l'art moderne est ce qu'il est, bien entendu, ce n'est pas seulement parce qu'il est l'expression d'une certaine culture. Cézanne est croyant — et optimiste — sans être réaliste ou idéalisateur. Renoir est plus proche de Van Gogh comme peintre qu'il ne l'est de Rubens, mais les valeurs qu'il exprime sont celles de Rubens, non celles de Van Gogh. La rupture avec le sacré et l'humanisme ne suffit pas à rendre compte de tous les aspects d'un art qui est aussi un événement spécifique : l'existence de la photographie le détermine tout autant que la « mort de Dieu ». *La Psychologie de l'Art* est le premier ouvrage où nous voyons associer avec autant d'éclat et de précision l'histoire culturelle et l'analyse spécifique des œuvres.

Mais l'œuvre se réduit-elle à son rapport à la culture et à l'art lui-même ? L'artiste n'est-il rien de plus que celui qui, participant aux valeurs générales d'une époque, les exprime en créant librement un objet spécifique qui répond à l'art antérieur ? Est-ce seulement à l'art antérieur que l'œuvre répond, n'est-ce pas aussi bien à l'appel profond, à l'exigence intérieure de l'artiste ? Il me semble difficile d'éliminer, comme le fait Malraux, toute considération purement psychologique de la psychologie de la création. Quelques-unes de ses formules (un romancier n'est pas un romanesque, un poète n'est pas un contemplatif, un peintre n'est pas un amateur de paysages...) pleinement évidentes si on leur donne un sens polémique — c'est-à-dire si l'on voit en elles la réfutation de préjugés traditionnels —, me paraissent plus discutables si on leur accorde une valeur absolue. Certes, aucune disposition psychologique ne suffit à faire un artiste, si ne s'ajoute à elle le désir essentiel et spécifique de créer un objet artificiel : mais si cette volonté de création se dirige vers l'art — et non point vers l'action ou vers l'artisanat —, n'est-ce point parce que l'artiste découvre dans l'art la possibilité d'une expression intérieure ? Sans doute faudrait-il s'entendre sur le romanesque, la contemplation et la sensibilité à la nature. Le romancier n'est pas romanesque comme une jeune fille, mais il l'est dans un autre sens : il est celui qui, à travers les destins vécus, imagine les destins possibles. Le poète n'est pas contemplatif à la manière du vieillard ou du sage : mais il est celui qui derrière l'existence quotidienne aperçoit l'ordre des instants privilégiés. Le peintre n'est pas l'amateur de paysages :

il est pourtant celui pour qui existe le monde sensible, et pas seulement le musée. Cette relation psychologique de l'artiste à la vie et au réel me paraît irrécusable, et importante à préciser : on est un artiste à la fois parce qu'on vit certaines expériences et parce qu'on domine certains systèmes formels — propres, précisément, à exprimer ces expériences.

Et c'est à partir de ces attitudes psychiques fondamentales que s'ouvre, me semble-t-il, une *esthétique des constantes* qui pourrait s'ajouter à l'*esthétique des métamorphoses* que nous donne Malraux. Car la pensée de Malraux ne quitte pas, au fond, le plan de la métamorphose (et par là, elle est historique et psychologique plus qu'esthétique). Sans doute y a-t-il pour Malraux une éternité de l'art : c'est le geste même de la création, l'opposition de l'homme au Cosmos. Mais n'y a-t-il pas une permanence autre que psychologique : certaines références constantes et strictement esthétiques, qui rendent compte de la valeur des œuvres sur un plan qui n'est plus celui de l'expression culturelle et de l'apport formel? Et ce plan est celui de l'expression technique de certaines exigences psychologiques : il est celui des *genres* [...] Si différents que soient les uns des autres Villon et Mallarmé, Scève et Lorca, Rilke et Eliot, ne voit-on pas qu'ils se rejoignent tous en un lieu commun : le poétique, comme Stendhal et Balzac, Tolstoï et Dostoïevsky dans le romanesque, comme Uccello et Poussin, Raphaël et Picasso dans une certaine stylisation? Entre les peintres que séparent des valeurs culturelles et des inventions formelles irréductibles, il se peut que la peinture elle-même serve de trait d'union, et qu'elle creuse un abîme infranchissable entre ceux qui partagent des significations et des valeurs équivalentes.

S'il est vrai que l'esthétique de Malraux est essentiellement une esthétique des métamorphoses, il n'est pas vrai, cependant, qu'elle aboutisse à une vision discontinue de l'histoire, de l'art et de l'homme, il n'est pas vrai, comme on l'a écrit par erreur ou par ruse, qu'elle reprenne à son compte l'idée de Spengler sur l'irréductibilité des cultures selon laquelle l'histoire ne serait rien d'autre qu'un songe plein de bruit et de fureur, et ne signifiant rien, une succession des paroles isolées, sans communication entre elles, une marche aveugle dans la solitude. Déjà, on a accusé *Les Noyers de l'Altenburg* de s'inspirer d'une vision analogue : plus précisément de remplacer le schème marxiste d'un progrès continu de l'humanité par l'idée spenglérienne des cultures isolées et incommunicables. Mais, pour Malraux, la rupture avec le marxisme n'a nullement signifié le rejet de l'humanisme et la conversion à l'historique pur. Tout au contraire, c'est le marxisme qui, à un certain moment, lui est apparu comme l'historique pur, comme la réduction de l'homme à un instant daté, c'est le marxisme qui brise le dialogue de l'humanité par sa croyance en un événement absolu qui vide de signification vivante un immense passé. La rupture avec le marxisme, pour autant qu'elle s'exprime dans l'*Altenburg* y prend la forme d'une conversion à l'humain fondamental : affirmation d'une permanence humaine, d'une *transhistoricité*. Et *La Psychologie de l'Art* confirme cette rupture, et sa signification. Si *La Psychologie de l'Art* n'est pas un livre marxiste, ce n'est pas seulement parce qu'elle refuse de soumettre l'histoire de l'art à un prétendu conditionnement économique, c'est — plus profondément — parce que l'art y apparaît comme le dialogue continu de l'homme avec lui-même. Pour écrire ce livre, il a fallu que Malraux rejette le marxisme et je dirai même : c'est en partie parce que Malraux *devait* écrire ce livre qu'il s'est dégagé du marxisme. C'est en travaillant à cette *Psychologie de l'Art* (et il y travaillait avant 1938) que Malraux a vu de plus en plus nettement l'impossibilité de concilier avec le marxisme l'idée de l'*héritage culturel* qu'il a toujours défendue — et qu'il proposait vers 1936 à des écrivains communistes —, et, avec l'erreur d'une philosophie du conditionnement, celle d'une doctrine qui, datant l'histoire véritable d'un instant récent ou futur, abolit le sens de tout le passé.

Mais, de même qu'il est antimarxiste, ce livre est antispenglérien. De Spengler, Malraux retient sans doute la pluralité des cultures (mais cette pluralité, elle est dans l'histoire même!), et il est plus spenglérien (ou plus hégélien) que marxiste en ce sens que l'art est à ses yeux soumis à une culture plus qu'à une économie. Mais, partant du même point de vue que Spengler, Malraux aboutit à une conclusion inverse : les cultures sont divergentes, mais non point incommunicables. Il y a un dialogue des arts, un dialogue des cultures : il n'est pas sûr que nous entendions le passé comme il s'est entendu, mais il est sûr que nous l'écoutons, et que nous nous servons de lui. Rien de plus antispenglérien et, en même temps, de plus antimarxiste que cette vision du *Musée imaginaire* ouvert à l'héritage du monde, où la confrontation de toutes les voix du passé est la grande accoucheuse des voix à venir. L'homme n'a jamais rien créé en vain : pas une seule grande parole vraiment morte, pas un seul grand regard jeté sur le monde qui soit à jamais aveuglé.

Voici donc que Malraux, après avoir peint le conquérant, le révolutionnaire, le fondateur d'empire, dresse l'effigie mythique de l'artiste. On voit la fraternité de ces figures, et qu'elle représente la fidélité profonde de Malraux à lui-même : autant de contradicteurs, autant de vainqueurs du destin, autant de témoins de la force et de l'honneur d'être homme. Mais on voit aussi qu'il y a, de l'une à l'autre, évolution et dépassement. Aboutissant à un ordre durable et valable pour une collectivité, la révolution dépassait l'aventure. La création de l'artiste — ou l'action à un certain niveau de profondeur spirituelle, celle d'un Lawrence par exemple — dépasse à son tour l'action sociale, parce qu'elle porte témoignage, pour tous et pour toujours, d'un homme supérieur à l'histoire aussi bien qu'au destin.

Car ce qui attache Malraux à l'art, ce qui fait qu'il vit dans l'art comme d'autres vivent dans la religion, c'est que l'art lui apporte la preuve de la supériorité de l'homme par rapport à un destin qui s'appelle aussi bien mort, solitude et histoire. On voit ainsi qu'il faut se garder d'interpréter ce livre — comme on l'a fait par erreur ou par ruse — comme une évasion désespérée dans un dilettantisme esthétique. Parce que Malraux ne croit plus en l'homme, a-t-on dit, il ne peut plus qu'écrire sur l'art ; parce qu'il ne croit plus en la vie, il ne peut plus chanter que ces nécropoles : les Musées. Étrange commentaire ! Car ce qui monte des profondeurs entrouvertes du passé, ce n'est point un souffle de mort : c'est celui de la fécondité future. Comme toujours chez Malraux, le chant tragique du destin et de la mort se dépasse en exaltation.

André et Jean Brincourt
Le seul humanisme universel : l'art

Les mythes, dont nous avons reconnu l'influence sur les esthétiques de Bergson et de Proust, sont, soit des concepts philosophiques liés à une mystique (la nature considérée comme œuvre d'art; l'art révélateur de la vérité intemporelle de l'artiste), soit des idées insuffisantes pour expliquer le processus de la création et l'ensemble des formes de l'art (l'art considéré comme un moyen de séduction; la qualité de l'œuvre, fonction de la sensibilité de l'artiste).

Le mythe de la fraternité, chez Malraux, est d'un tout autre ordre. C'est l'héritage le plus fécond de la civilisation chrétienne, celui que notre époque ne renie pas encore, car il répond aux inquiétudes mêmes de notre temps. [...]

L'action apparaît à Malraux comme l'adhésion de l'homme à une aventure commune; — et cette entrée dans l'histoire, ce geste partagé, semblaient déjà pour l'homme devoir être son rachat. On conçoit dès lors que Malraux se soit opposé vigoureusement à l'individualisme et ait cherché cette délivrance possible de l'homme partout où luisait l'espoir d'une fraternité humaine. Mais ni l'action, ni aucune forme de collectivité présente, ne semble avoir apporté à Malraux ce sentiment de délivrance totale. En 1946, dans sa conférence à l'Unesco sur *l'Homme et la Culture artistique*, celui qui avait écrit *Les Conquérants* et *L'Espoir* prononce ce mot qui marque l'échec provisoire de toutes les tentatives collectivistes de notre temps : « *L'homme est rongé par les masses comme il l'a été par l'individu.* »

Ce mythe de la fraternité qui avait conduit Malraux à choisir la collectivité contre l'individu, le met en face d'un nouveau drame : celui de l'homme écrasé par la collectivité.

ANDRÉ et JEAN BRINCOURT, *Les Œuvres et les Lumières*, © éditions de La Table Ronde, 1955.

C'est alors que l'art lui apparaît comme le seul humanisme universel.

Cette fraternité dans laquelle l'homme fonde en signification sa destinée, Malraux la découvre dans la vaste communion des œuvres d'art. L'art devient, à ses yeux, la plus grandiose tentative de l'homme pour durer, pour s'imposer au monde, pour affirmer une solidarité qui prend sa source dans les plus lointaines civilisations et s'alimente généreusement de siècle en siècle.

Voilà pourquoi Malraux, contrairement à Bergson et à Proust, ne recherche pas la signification de l'art à travers des entreprises personnelles, mais entend que son esthétique réponde aux exigences communes de toutes les formes artistiques. Ses principes esthétiques ne sauraient être déterminés par une forme d'art particulière à laquelle il donnerait son adhésion. Le mythe de la fraternité vise l'humain et non l'individu, ce qui relie, rapproche, unit, et non ce qui distingue, sépare, divise. Son esthétique doit être à la mesure du sentiment d'universalité qui l'anime ; elle rejette toute préférence, ne tient plus compte d'une évolution progressive des styles, mais appelle la présence de la totalité des œuvres et fonde ses lois sur leur rapport intime, insoupçonné et toujours exemplaire.

Pour Malraux, l'art grec est un art de communion. Il cite dans deux de ses livres une parole de l'Antigone de Sophocle, où la venue du Christ s'annonce déjà : « *Je ne suis pas née pour partager la haine, mais pour partager l'amour.* » Le christianisme du Moyen Age semble, par ses œuvres d'art, répondre tout entier à cet appel. Mais c'est au-delà du caractère « fraternel » de certaines formes d'art que Malraux découvre la véritable communion des œuvres. En recherchant dans le monde autonome de l'art le jeu des interférences, des influences, des imitations volontaires, des ruptures essentielles, Malraux recule encore les limites de la fraternité humaine et nous met en face de la plus vaste entreprise d'échanges mutuels qu'ait jamais conçue l'homme.

L'idée d'une mesure commune entre tous les chefs-d'œuvre obéit directement au mythe de la fraternité. Tout art du passé a été au service d'une valeur suprême. Certes, ces valeurs sont mortes pour nous, elles ont décliné de siècle en siècle, à mesure que s'éteignaient leurs vertus salvatrices ; et ces œuvres s'offrent désormais à nous comme la « monnaie » de cet Absolu au nom de quoi elles avaient été conçues. Mais, si des valeurs différentes, contradictoires, ennemies parfois, ont suscité les œuvres les plus diverses, l'ensemble de ces œuvres, dans leur diversité même, indique une valeur plus haute qui donne un sens à notre héritage artistique mondial, et révèle l'homme dans sa dignité. En effet, tout l'art témoigne, d'abord, de la volonté de l'homme de s'opposer à son destin.

Parce que nous nous sentons aujourd'hui héritiers, non pas de telle ou telle de ces valeurs, mais de toutes ensemble, « *c'est l'art dans sa totalité, délivré par le nôtre, que notre civilisation, la première, dresse contre le destin* ».

Cette idée que *l'art est un pouvoir accordé à l'homme contre la mort* est un mythe, né du précédent, qui marque aussi fortement l'esthétique de Malraux. [...]

Proust avait vu, dans les chefs-d'œuvre, une consolation de la certitude de la mort, mais aussi, pour l'artiste, une promesse de résurrection. « *L'idée que Bergotte n'était pas mort à jamais est sans invraisemblance. On l'enterra, mais toute la nuit funèbre, aux vitrines éclairées, ses livres disposés trois par trois veillaient comme des anges aux ailes éployées et semblaient, pour celui qui n'était plus, le symbole de sa résurrection.* »

Cette idée, Malraux l'exprime avec plus de force encore : « *Créateurs et amateurs, tous ceux pour qui l'art existe, tous ceux qui peuvent être aussi sensibles aux formes créées par lui qu'aux plus émouvantes des formes mortelles, ont en commun leur foi en une puissance particulière de l'homme. Ils dévalorisent le réel, comme le dévalorise le monde chrétien ; ils le dévalorisent par leur foi en un privilège, par l'espoir que l'homme, et non le chaos, porte en lui la source de son éternité.* »

L'art devient un antidestin. Il devient pour l'homme la seule chance de survie, car l'acharnement de l'homme à inventer des formes n'est pas illusoire si, au-delà de sa mort, ces formes ne cessent d'être une présence vivante. En effet, selon l'esthétique de Malraux, un grand artiste ne laisse pas seulement sur terre une trace de son génie, il lègue au monde un germe de vie. Son œuvre entre dans le monde des formes, offerte aux métamorphoses, aux reviviscences singulières qui lui redonneront, de siècle en siècle, sa vraie place dans la chaîne toujours recommencée de la création artistique. « *Peut-être est-il beau que l'animal qui sait qu'il doit mourir, en contemplant l'implacable ironie des nébuleuses, lui arrache le chant des constellations; et qu'il le lance aux siècles, auxquels il imposera des paroles inconnues.* »

Ce sont probablement les métamorphoses de ce chant des constellations que Malraux appelle « les voix du silence ».

Etiemble

[*Les métamorphoses de Malraux*]

Je prends son livre [*La Métamorphose des Dieux*] pour ce qu'il est, pour ce que sont tous ses bouquins : les chapitres épars d'un *Essai sur moi-même*. Aux « cornes farfelues » des béliers de Suse, j'accroche sans anicroche l'ancien *royaume farfelu* : telle « fraternité virile », qui convient à Béhistoun comme lard en carême, je sais y reconnaître l'écho de ce *Temps du Mépris* qui date pour moi la première métamorphose du dieu de soi-même : le Malraux des premiers romans, celui qui se foutait de la fraternité, celui qui tournait autour de l'exotisme, de l'héroïsme et de l'érotisme comme autour de la meule un de ses personnages.

Jusqu'en cette jonglerie de noms propres, je consens à imaginer une version pathétique du *Jongleur de Notre-Dame* : la seconde métamorphose de celui qui, déçu par les dieux de plusieurs révolutions, en est venu à se faire le pieux jongleur à la fois de Notre Dame et du Bouddha de Nara, de la Dame d'Elche et du Dévot Christ de Perpignan : lançant en l'air des tas de noms, merveilleusement il réussit à les rattraper sans trop de casse, bien qu'il les ait heurtés en l'air pour un bref coït interrompu qui feint de vaincre le destin.

La droite ne s'y trompe guère : « Cher Malraux, qui n'avez jamais pu, au fond, vous satisfaire du flux des

Etiemble, *Évidences*, février 1958, repris dans *Hygiène des Lettres*, t. III, © éd. Gallimard 1958.

apparences, voici déjà qu'à leur monde sans Dieu vous rendez un supplément d'âme, ce supplément d'âme justement que Bergson... enfin, nous nous comprenons ; encore un petit effort, encore une ou deux métamorphoses, et c'est votre âme enfin, votre âme enfin immortelle que vous vous restituerez. » La droite ne s'y trompe point tout à fait ; elle se trompe néanmoins, je l'espère encore. Le temps de la méprise n'a pas encore sonné. Mais quand je vois le mal qu'au mépris de l'histoire et de l'histoire de l'art Malraux se donne pour s'inventer un sacré de rechange, un divin de secours, et l'art comme antidestin, comme « réponse à l'interrogation que pose à l'homme sa part d'éternité lorsqu'elle surgit dans la première civilisation consciente d'ignorer la signification de l'homme », comment éluder l'évidence ? Ou bien Malraux délaie en milliers de pages une banalité qui ne mérite pas ce ton — car enfin, nous nous rappelons un petit poème publié voilà cent ans, et signé Théophile Gautier — le buste, là aussi, survit à la cité ; là aussi, l'art et l'éternité se mettent en ménage — ou bien, pour n'avoir pas su prendre son parti de sa mort, lyriquement il agonise en des livres dont on peut craindre en effet qu'ils ne le conduisent insidieusement à une bonne mort. Il y a beau temps que je ne lis plus André Rousseaux : je parierais qu'il frétille d'espérance.

Je comprends moins bien pourquoi la gauche s'efforce de disqualifier quiconque se permet de critiquer le Malraux d'art. Par un bizarre effet de la métamorphose des dieux, Malraux devient ainsi et totem et tabou. J'ai pour lui beaucoup d'estime : je ne lui cacherai donc pas que tous les gens compétents avec qui j'ai parlé ou des *Voix du Silence* ou de *La Métamorphose des Dieux* en ont comme je fais déploré la grandiose légèreté. Or la critique de gauche prétend que les cuistres, les spécialistes, n'ont pas ici à moufter. Qu'au seul mot de savoir, nazis et compagnie manifestent leur pétard, rien de plus rassurant : mais que notre meilleur hebdomadaire fasse le jeu des ministres qui bafouent les « chers professeurs » et autres « intellectuels dépravés », voilà qui me consterne. Le génie n'ayant pas tous les droits, Malraux n'a pas celui d'écrire que les artistes égyptiens n'ont jamais eu d'esprit, sauf sur les croquis des cailloux et des ostraca. Je l'affirme comme celui qui passa quinze jours entiers dans les tombes et qui connais un peu la peinture thébaine. Libre à Malraux de ne composer ni une esthétique, ni une histoire de l'art; mais libre à ceux qui savent de dire non aux synthèses aventurières. Relisons plutôt celle de René Huyghe...

Les livres de Malraux sur l'art ne m'éclairent qu'André Malraux et *Les Voix du Silence* rendent plus éclatant le silence de la voix qu'on attendait qui s'élevât contre la torture au moins, sinon pour la justice et pour la vérité. Rigolez devant ces « grands mots » vous qui vous pâmez devant le « sacré », le « divin », ou la « foi » du jongleur; vous ne me ferez pas rougir [1].

Pierre-Henri Simon
[*La Monnaie de l'Absolu?*]

Malraux a défini la religion : « *Tout lien entre l'homme et les grandes houles qui le soulèvent.* » L'art rétablit ce lien en rendant à l'homme, au-delà des constructions présomptueuses et vaines de son intelligence d'ingénieur, la présence des grandes forces fatales qui le portent et celle des profondeurs secrètes dont il entend en lui monter les échos.

Comprenons-le bien : ce recours à l'art comme à la « *monnaie de l'absolu* » — c'est le titre et la formule conclusive du dernier volume de *La Psychologie de l'Art* — cet esthétisme de Malraux n'est en rien comparable à celui des esthètes du XIXᵉ siècle, un Flaubert, par exemple. Pour Flaubert, comme d'ailleurs, avec des nuances, pour Baudelaire, le culte de l'art se rame-

PIERRE-HENRI SIMON, *Témoins de l'homme,* Payot, 1966; © Fondation nationale des Sciences politiques.

---

1. En avril 1958, A. Malraux a signé avec Mauriac, Sartre et Martin du Gard une lettre sur et contre la torture. (Note ajoutée par Étiemble lorsque son article d'*Évidences* a été repris dans le tome III d'*Hygiène des Lettres* "Savoir et Goût".)

nait à la religion de la Beauté — la Beauté, valeur
idéale et occasion de jouissance supérieure, qui permet
à l'homme d'échapper aux médiocrités et aux laideurs
de sa condition : c'est une esthétique d'évasion. Celle
de Malraux est plutôt une esthétique de domination :
l'effort pour dépasser les apparences n'est nullement,
chez lui, une diversion de la vie, un recours à la fiction.
« *L'art,* dit-il, *est devenu le domaine où s'unissent toutes les
œuvres qui nous atteignent.* » Toutes les œuvres, non pas
exclusivement celles qui correspondent à un certain
canon de la beauté, ou qui traduisent un certain caractère, mais plutôt celles qui portent, avec le frémissement
du sacré, un signe de la grandeur de l'homme. Car
« notre culture sait qu'elle ne peut se limiter à l'affine-
ment le plus subtil de la sensibilité : elle aspire à l'héritage de la noblesse de l'homme ». Et dans une lettre
personnelle, il voulait bien me préciser ainsi sa position :

*Je ne pense pas qu'un humanisme, quelles que soient son étendue
et même ses racines, puisse apporter l'adhésion profonde — la
communion — par quoi les grandes religions unissent les vivants
et les morts, l'ombre fugitive des hommes et le cosmos. Sa nature
n'est pas la leur. Mais je pense que, dans un monde passablement
désert, la volonté de nous relier aux formes disparues de la grandeur
est, hors d'une foi profonde, le seul moyen que l'homme conserve
de se tenir encore droit. Et que, pour le mettre à quatre pattes, il y
a foule.*

Nous relier, par le musée, aux « formes disparues de
la grandeur », être attentif aux œuvres d'art du passé
comme à autant de réponses données par les siècles
humains aux énigmes du Sphinx, comme à autant
d'actes pour vaincre le destin, telle pourrait être, en
définitive, la dernière voie ouverte devant l'homme du
XXe siècle pour demeurer lui-même et se tenir encore
debout.

La noblesse d'une telle position n'est pas contestable : Malraux, dans un temps où les valeurs de culture
n'ont que trop tendance à s'anéantir, se lève et parle
comme un grand civilisé. Il faut dire plus et reconnaître,
dans la pensée de cet agnostique, une source d'instiga-
tions spirituelles qui rend le dialogue possible entre lui
et les esprits religieux. Cependant, si nous tentons de
cerner avec quelque rigueur cette méditation souveraine,

il apparaît que la forme d'esthétisme qui s'y énonce, pour supérieure et originale qu'elle soit, n'échappe pas complètement au dilettantisme, et l'on peut se demander si elle apporte aux grandes questions qu'elle pose une réponse dont l'homme moderne puisse se contenter.

Malraux l'a dit de plusieurs façons : le musée n'est pas une église ; car il n'est soumis au culte d'aucun dieu ; il n'est pas non plus un panthéon où voisineraient, à l'usage d'une dévotion syncrétique, les symboles de tous les dieux. Le crucifix suspendu dans un musée n'y figure pas en tant qu'il représente la foi au Christ, pas plus que le masque de Çiva ou les fétiches nègres n'y ont été rassemblés pour honorer les dieux de l'Asie et les démons de la forêt africaine ; ces objets ne sont plus des objets de culte ; ils sont des objets d'art — c'est-à-dire, dans le contexte de la pensée de Malraux, des objets qui expriment par des formes ce qui est la matière spirituelle de l'artiste : le sacré. Mais, à ce sacré, il est bien entendu que le visiteur moderne du musée ne croit plus, ne peut plus croire en tant que tel. Sans doute, la tête du crucifix gothique « ne nous atteint pas seulement par l'ordre de ses plans » (en tant qu'elle est une sculpture), mais *« nous y retrouvons la lumière lointaine du visage du Christ »*. Seulement, il est posé que nous ne croyons plus au Christ, pas plus qu'à Çiva, pas plus qu'aux démons de l'Afrique. *« Tous les dieux,* écrit encore Malraux, *ceux des autres races et les nôtres, ont cessé d'être des démons pour devenir des formes. »* Et c'est en tant que formes que nous les vénérons dans les œuvres d'art. Il ne vient, en définitive, dans le musée de Malraux, que des observateurs éclairés et fervents des idées multiples que l'homme s'est faites de sa nature et de son destin. Cet éclectisme pathétique leur permettra-t-il d'accéder à la communion humaine, à la communion cosmique et à l'espérance, c'est-à-dire à un assouvissement des besoins religieux de l'âme ? C'est douteux ; car, devant les œuvres d'art ainsi regardées, ils ne sont encore les croyants d'aucune foi, mais seulement des amateurs du spirituel.

Bien mieux, quand Malraux cherche à définir la nature de l'art moderne, quand il passe, en somme, du plan du visiteur de musée à celui du créateur, il caractérise, nous l'avons vu, cet art moderne par le style du sacré. L'artiste moderne, obsédé par la pesée du destin et révolté contre le monde des apparences, retrouve naturellement la vision et la technique des arts du sacré; il nie le profane, le rationnel; il bouleverse, il stylise jusqu'à l'excès les apparences du monde. Mais cela ne veut pas dire qu'il exprime le sacré, car il n'a aucune foi. Donc, ce qui caractérise l'art moderne, c'est d'être un style du sacré dans l'absence du sacré. Ce qui revient à proclamer — et Malraux le dit et le répète — que l'artiste moderne, ayant la volonté d'atteindre un absolu, mais ne pouvant mettre cet absolu ni dans une idée de Dieu qu'il n'a plus, ni dans l'imagination de la beauté qu'il récuse, le met dans son tableau même. Ainsi, Vermeer serait le premier grand peintre moderne, parce qu'il aurait montré *« qu'un solitaire peut sauver la peinture d'un monde sans valeur fondamentale en lui donnant comme valeur fondamentale la peinture même »*. Quand le grand art ne peut plus vivre d'exprimer une foi métaphysique, comme il l'a fait à Byzance ou au Moyen Age, quand il a épuisé même la poésie, quand il n'est plus capable d'idéaliser le monde et l'homme comme l'ont fait les sculpteurs grecs et les grands Vénitiens, il lui reste de se satisfaire de lui-même, de remplacer la foi et la poésie par l'amour de l'art :

« Les sculpteurs de l'Acropole et des Cathédrales, écrit encore Malraux, *le peintre de* La Pietà *de Villeneuve, Michel-Ange, Titien, Rembrandt possédaient réellement un monde. Notre art, né d'une brisure de la conscience, tend-il à ne plus posséder que la peinture ? »*

Terrible question, à laquelle il semble bien que la réponse de Malraux soit affirmative. N'est-ce pas aller s'agenouiller finalement, par un long détour métaphysique, devant la vieille idole des civilisations fatiguées, devant l'Art adoré pour lui-même et cultivé comme un divertissement supérieur? Cet art qui ne peut exprimer qu'un vide et qu'une angoisse, peut-il remplir la fonction que Malraux confie à l'art : rassembler les hommes, les relier à l'éternel, les assurer contre la mort? S'il est un recours, peut-il l'être pour la masse des hommes, et pas seulement pour une élite étroite d'amateurs distingués? L'art, ainsi conçu, peut-il être un « antidestin »? Nous comprenons bien que,

dans la pensée de Malraux, l'homme ne peut pas se
tenir debout sans regarder vers un absolu, et que
l'homme moderne, privé d'absolu métaphysique, n'a
d'autre recours que d'en demander la monnaie à l'artiste. Mais il est à craindre que cette monnaie toute
fiduciaire ne soit bien flottante et bien trompeuse, si
elle n'est garantie par un ordre de valeurs transcen-
dantes ; et je pense, quant à moi, que l'artiste n'est
qu'un faux monnayeur s'il n'a pas une métaphysique
affirmative à exprimer.

Georges Pompidou
[*La réponse à l'angoisse*]

Tout d'abord, ce qui frappe, c'est le parallélisme de
l'œuvre et de la vie. Aussi est-on tenté de classer Malraux, pour le critiquer ou pour le louer, parmi les
écrivains « engagés » dont l'œuvre, inséparable de leurs
actes, de leur vie ou de leur temps, y trouve son explication, son caractère représentatif et ses limites. C'est
là, selon nous, une vue trop sommaire. Il est exact que
Malraux n'est pas un homme de cabinet. Il est exact
qu'il puise dans son expérience personnelle. Il est
exact qu'il parle en termes actuels. Mais ce qu'on définit
ainsi, c'est soit son tempérament, soit la matière dont
il use, soit le ton ; ce n'est pas le sens de son œuvre.
Les problèmes dont il parle en termes actuels ne sont
pas de circonstance ; seule la forme est actuelle. Il puise
dans son expérience. Mais expliquer *La Condition
humaine* par l'expérience chinoise, et *L'Espoir* par
l'expérience espagnole est superficiel, même si la Chine
et l'Espagne sont le cadre du roman. Malraux ne peint
ni la société, ni les individus, ni lui-même. Il déplore
et glorifie la condition de l'homme ; sa lignée n'est pas
Victor Hugo, ni Balzac, ni Stendhal ; c'est Shakespeare,

Extrait de : GEORGES POMPIDOU, *Pages choisies d'André Malraux*,
Classiques illustrés Vaubourdolle, © Librairie Hachette, 1955.

Pascal ou Dostoïevski. « Le roman moderne est, à mes yeux, un moyen d'expression privilégié du tragique de l'homme, non une élucidation de l'individu. » C'est pourquoi ce qu'il importe avant tout de chercher, c'est le sens et l'origine de cette angoisse qui pèse sur l'œuvre romanesque, et permet de comprendre action et personnages.

L'angoisse de Malraux est née, pensons-nous, du jour où le catéchisme a cessé pour lui d'exprimer la vérité. L'exigence intellectuelle et morale qui ne transige pas l'obligeait, une fois perdue la foi chrétienne élémentaire, à chercher de quoi répondre aux aspirations que le christianisme précisément satisfait chez les croyants et qui sont pour l'homme de se sentir solidaire de ses semblables en même temps qu'entraîné dans un drame qui dépasse l'humanité et trouve son sens dans ce dépassement.

D'où ce qu'on a appelé l'aventure de Malraux, d'un terme inexact parce que Malraux ne va pas à l'aventure, mais à la recherche. Dans l'Asie d'abord où le sollicitent aussi bien la pensée bouddhiste que la révolution populaire, dans les luttes fraternelles de Chine, puis d'Espagne, dans le combat de la Résistance, dans le gaullisme, dans l'art enfin, il cherche, sous des formes en apparence diverses, une satisfaction à des besoins qui sont toujours les mêmes : besoin de fraternité (mot qui revient sans cesse sous sa plume et dont les scènes les plus belles de l'œuvre romanesque sont l'illustration : épisode du cyanure dans *La Condition humaine,* descente de la montagne dans *L'Espoir*...), recherche de ce qui est au-dessus de l'homme, c'est-à-dire de ce pour quoi l'on pourrait vivre et qui est ce pour quoi l'on meurt.

C'est pourquoi, si souvent, Malraux confronte ses héros avec la mort. Car voilà bien la question-témoin que son propre courage physique lui a permis de se poser avec acuité : pourquoi l'homme serait-il prêt à risquer sa vie s'il n'y a rien au-delà? Mais s'il n'est pas prêt à risquer sa vie, où est sa dignité? Trouver — en dehors de toute religion — le moyen pour l'homme de se dépasser, réintégrer — dans l'agnosticisme — la notion du sacré, tel est l'objet de la quête de Malraux — comme jadis de Nietzsche — et qu'il poursuit aujourd'hui dans ses recherches sur l'art. Car, pas plus qu'il n'a été révolutionnaire ou résistant par goût de l'action pour l'action, il n'est aujourd'hui plongé dans l'art par esthétisme. Il aime l'action et il aime l'art. Mais ce sont des « accidents » ou, en tout cas, des moyens. Disons, pour nous résumer, que le drame de Malraux est métaphysique. Son œuvre exprime, tel que l'a imaginé Pascal, le tourment de l'homme sans Dieu, l'effort pour dominer, justifier, fonder en dignité la condition de cet homme. Elle est un combat avec le destin.

Mais elle est aussi œuvre d'art, et le jaillissement constant des scènes et des images ne doit pas cacher ce que cette œuvre a d'élaboré.

Dans sa construction d'abord, en apparence négligée, que le roman revête la forme du récit ou d'une série de tableaux — et qui n'en est que plus volontaire, influencée par le cinéma, cherchant dans la juxtaposition ou la succession des scènes, comme dans leur variété, à donner l'impression de vérité et de profusion, tout en utilisant au maximum l'art des contrastes et de la gradation.

Il en est de même des personnages dont aucun, ou presque, n'est fouillé comme un « caractère » de roman classique, qui apparaissent plus comme des silhouettes, des ombres qui passent, morceaux d'humanité dont aucun n'est Malraux (sauf peut-être Garine dans *Les Conquérants*), mais qui tous participent de lui, créant un monde dont la vérité psychologique éclate plus dans l'ensemble que dans l'individu. Ces personnages, suivant les lois de ce hasard dirigé qui s'apparente à la fatalité et qui est celui du théâtre de Shakespeare, des romans de Dostoïevski ou des peintures de Goya, traversent la scène, s'arrêtent, sortent, reviennent et disparaissent, laissant après eux des images sommaires, mais inoubliables.

Romans de situations plus que d'intrigue, où les êtres se trahissent dans l'action ou par leurs réactions plus qu'ils ne sont analysés dans leurs états d'âme, où l'atmosphère même n'est créée qu'en fonction de l'obsession métaphysique, sans rien de gratuit, sans — ou presque sans — complaisance d'écrivain pour sa propre facilité. Il n'est pas jusqu'au style, haché, saccadé, accumulation d'images et de formules qui ne donne la même impression de désordre calculé : pour prendre une comparaison dans un domaine que Malraux connaît bien, celui des armes à feu, ce style n'a la cadence ni du tir au fusil, soigneusement ajusté, ni du canon, qui encadre mathématiquement l'objectif avant de l'écraser. C'est le rythme de la mitrailleuse, par rafales où tant de balles paraissent perdues qui s'expliquent et se justifient par celle qui foudroie.

Roger Ikor
[La Peste *de Camus*
et La Condition humaine *de Malraux*]

Les deux œuvres se font exactement pendant, les deux tableaux ont exactement même sujet. L'un et l'autre nous présentent un portrait de ce monde infernal où nous avons été emprisonnés durant nos années terribles. Mais l'un a été peint par anticipation, au moment où nous sentions la prison nous aspirer, l'autre après coup, quand nous venions de nous libérer. Est-ce ce passage du désespoir au soulagement qui fait contraster si violemment leurs éclairages ? Le fait est que le contraste éclate, et dès les titres. Ce que Malraux attache simplement à notre condition humaine, comme donnée scientifique, Camus le désigne d'emblée comme maladie. Le reste suit naturellement, et l'opposition se prolonge parfois jusque dans le détail. Je viens de souligner par exemple la fidélité sexuelle de Rieux : on se rappelle de quelle manière se comportait May (et la jalousie tardive de son mari ne change rien à la chose). De même, aux combattants volontaires de Malraux, hommes de guerre presque professionnels jusqu'à prendre une mentalité de conquistadors, répondent les combattants forcés de Camus, hommes de paix, ou plutôt de pacification, « qui, ne pouvant être des saints et refusant d'admettre

Roger Ikor, *Mise au net*, © éditions Albin Michel, 1957.

les fléaux, s'efforcent cependant d'être des médecins ».
Quel symbole d'ailleurs que le narrateur de *La Peste*
soit précisément un médecin! Et quel autre symbole,
plus profond encore, que Camus n'ait voulu évoquer
les drames de notre époque que transposés en image,
sinon en allégorie, alors que Malraux les présentait à
cru, directement, historiquement! À la vérité, l'opposition des deux écrivains, à force de s'accuser, finit par
en devenir émouvante. Car une parenté d'esprit les
unit, plus profonde qu'il ne semble, sous cet antago-
nisme que je viens de souligner. Et je ne me contredis
pas en l'affirmant. On trouverait chez l'un et l'autre la
même virilité, le même sens de la liberté, le même
respect de la dignité humaine, le même goût de l'action,
et de l'action efficace, la même volonté de guider
l'homme vers ses sommets, au reste sans illusions sur
sa nature et sur les obstacles de la route; enfin, la même
sensibilité aux courants qui parcourent le monde.
Lorsque Camus lutte contre la peste, prenons garde
qu'il ne cède à aucune duperie; lorsque, comme je le
disais plus haut, il prend parti pour les « bons » sentiments, c'est par un choix délibéré, stoïque si l'on veut,
non par niaiserie idéaliste, et son pessimisme philoso-
phique est identique quant au fond à celui de Malraux
(ou de Martin du Gard). Tout en déclarant, à la fin de
La Peste, que « ce qu'on apprend au milieu des fléaux »,
c'est « qu'il y a dans les hommes plus de choses à admirer
que de choses à mépriser », Rieux n'ignorait pas que la
maladie fait partie de notre condition d'hommes, qu'il
n'est pas de « victoire définitive » sur elle, « que le bacille
de la peste ne meurt ni ne disparaît jamais... et que,
peut-être, le jour viendrait où, pour le malheur et l'en-
seignement des hommes, la peste réveillerait ses rats
et les enverrait mourir dans une cité heureuse ». Malraux pourrait sans se déjuger prendre ces idées à son
compte. D'où vient alors que les œuvres des deux écrivains se tournent aussi nettement le dos? D'où, sinon
du fait, que l'orientation même du monde, à laquelle
l'un et l'autre obéissent fidèlement, s'est inversée *entre*
l'un et l'autre? Je n'hésite pas à écrire que *La Peste*
représente véritablement cette suite à *L'Espoir* que
Malraux ne nous a pas donnée, qu'il ne pouvait pas
nous donner.

François Mauriac
« *Le Romantisme au pouvoir* »

L'Histoire n'ajoute rien au personnage Malraux. Son accession aux affaires ne le grandit ni ne le diminue. Elle renouvelle l'intérêt à son sujet par les questions que le spectateur se pose; mais le drame, ici, n'est plus celui de la France confondu, comme chez de Gaulle, avec le destin d'un homme; c'est du seul destin de Malraux qu'il s'agit. L'histoire n'a rien à voir avec l'aventure de ce génie fiévreux dont nous suivons la courbe depuis son adolescence, de livre en livre, mais aussi de risque en risque : il est parmi nous presque le seul qui non content d'écrire aura agi pour servir une cause, certes, mais surtout pour ajouter un trait à son personnage (car sa biographie est au fond sa grande affaire) et toujours dans une direction inattendue, comme si ce qui le décidait n'était point un raisonnement logique, mais des rencontres : à travers les livres avec le colonel Lawrence, dans la vie avec de Gaulle : malade au fond d'un désir de puissance auquel le destin jette à ronger ces jours-ci un ministère... Et puis il finit toujours par revenir, entre deux chapitres de sa biographie, à l'unique réalité; à cela seul qui reste de l'homme, fixé sur la toile, dans la pierre, cette part de sa proie que la mort doit abandonner : les chefs-d'œuvre de l'art humain. Bien sûr, il entre dans la merveilleuse composition du destin de Malraux ce rien de poudre aux yeux qu'à sa conférence de presse nous avons reçue d'un peu trop près.

Que sont-ils l'un pour l'autre, de Gaulle et Malraux? Je vois plus aisément ce que de Gaulle est pour Malraux que ce que Malraux est pour de Gaulle. Mais que Malraux, tel qu'il est, plaise à de Gaulle, c'est le signe qu'il subsiste dans ce grand homme, comme dans tout génie, une part un peu folle et qui nous le fait aimer — et qui

François Mauriac, *Le Figaro littéraire,* 5 juillet 1958.

le rend si différent des hommes d'État de série, et suspect, quoi qu'il fasse de raisonnable, aux diplomates de modèle classique. « Que m'aurait dit Monsieur Poincaré si j'avais tenu de pareils propos ! me confiait, au lendemain de cette conférence de Malraux, mon confrère Léon Bérard. Il m'aurait destitué, renvoyé dans mon Béarn ! »

Peut-être Malraux, venu de la Gauche extrême, ancien combattant des brigades internationales, est-il délégué auprès de Charles de Gaulle pour lui rappeler ce visage de la France révolutionnaire ? Après tout, lui aussi, Charles de Gaulle, et au sens le plus noble et le plus héroïque, aura été un aventurier, — mais son aventure, il y a mille ans qu'elle se déroule, et non point, comme pour Malraux, du néant d'avant sa propre naissance au néant où la mort le précipitera. De Gaulle, lui, croit que la France a une vocation, qu'elle lui a été imposée par Quelqu'un, qu'elle peut y manquer et s'y dérober, mais la vocation demeure. Malraux compose sa propre histoire entre deux néants. De Gaulle insère la sienne, qui est celle de la France, dans une éternité.

Là-dessus, je m'interroge. Qui sait si la présence de ce chef n'agira pas finalement sur la pensée de Malraux, et si plus encore que le cours apparent de sa vie elle ne modifiera pas l'idée qu'il se fait de Dieu ? Peut-être de Gaulle vivant achèvera-t-il de l'éclairer sur le sens de ce témoignage : l'art humain, et sur ce qu'il nous fait connaître de l'aventure de l'homme, le seul animal qui sache qu'il doit mourir — et de cet amour qui l'a enfanté, et de cette miséricorde qui l'a racheté, et de cette Lumière sur laquelle débouchera sa mort ? « Un secret, a écrit Malraux un jour, qui ne venait pas seulement de la mort, qui était bien moins celui de la mort que celui de la vie, un secret qui n'eût pas été moins poignant si l'homme eût été immortel. » Quel est ce secret que Malraux (et voilà sa grandeur) a toujours su affronter, par-delà « l'absurde » où se sont cantonnés ses épigones ? L'angoisse métaphysique échappe chez lui à toute imposture. L'authenticité de Malraux tient dans cette contemplation du néant dont l'aventure ne le délivre pas. Et sa faiblesse tient (à certaines heures de sa vie, mais ni durant la guerre d'Espagne, ni dans ses combats sur le Rhin) à cette disproportion chez lui

entre le verbe admirable et le geste politique discutable
— alors que chez de Gaulle le style est toujours l'homme
— et l'homme toujours égal à sa destinée.

Il faudrait serrer de plus près cette idée : ce que je
veux dire comporte une grande louange pour Malraux.
Sa volonté de puissance ne saurait avoir que des abou-
tissements qui ne sont pas à la mesure de l'écrivain qu'il
est : un ministère de l'Information ne le grandit pas. En
revanche, la volonté de puissance d'un de Gaulle se
confond avec celle de la Nation. Elle est en quelque
sorte résorbée par la volonté de la France de demeurer
souveraine.

Pour moi, j'avoue ressentir un plaisir de l'esprit et
du cœur à les contempler de loin, tous les deux. Et
j'éprouve (à mon âge!) la satisfaction un peu enfantine
de ce romancier de vingt ans, Philippe Sollers, qui
m'écrivait : « De Gaulle, Malraux, c'est le Romantisme
au pouvoir! » Mais il n'est pas rassurant pour nous que
le Romantisme se confonde avec l'Histoire. La figuration
de son drame nous terrifie dès que ses bruits de coulisse
ne sont plus imités. La trappe où le Père Ubu précipite
les bonnes gens a été au moment de s'ouvrir sous nos
pieds. Le décervelage n'est plus pour rire. Que peut le
Héros contre les décerveleurs? Que peut un homme
seul? Ce n'est plus là le thème d'un débat abstrait.
Il y va de la vie pour nous, et plus que de la vie : d'une
certaine idée que nous nous faisons de l'Homme né
Chrétien et Français, et hors de laquelle il n'est rien à
quoi nous ne préférions le sommeil de la mort.

Pierre Juquin
Malraux et le roman

Malraux est d'abord un insurgé. Le personnage de
Garine, dans *Les Conquérants,* agit comme un chef
révolutionnaire, mais pour lui peu importent les buts

PIERRE JUQUIN, *L'Avenir Avant-Garde,* mars 1960.

de la révolution : l'action n'a de fin qu'en elle-même ; même quand elle a un but, ce but n'est qu'une illusion qui aide l'homme à se lever contre le destin. « *Je ne tiens pas*, dit Garine, *la société pour mauvaise, pour susceptible d'être améliorée, je la tiens pour absurde... Qu'on la transforme, cette société, ne m'intéresse pas. Ce n'est pas l'absence de justice en elle qui m'atteint, mais quelque chose de plus profond, l'impossibilité de donner à une forme sociale, quelle qu'elle soit, mon adhésion. Je suis asocial, comme je suis athée, et de la même façon.* »

Singulier révolutionnaire ! Or, Malraux, au cours de l'action, fait la connaissance d'un autre type d'homme : non plus l'aventurier, mais le militant, non plus l'individu tragique, mais le combattant fraternellement lié aux masses. Comme porté par le mouvement même des masses, Malraux introduit dans son univers révolutionnaire la notion nouvelle de la fraternité : c'est ce qui fait la force de *L'Espoir*.

Mais ce dépassement de l'individualisme n'est pas définitif. Dès qu'il s'isole à nouveau des forces de progrès, Malraux revient en arrière : l'un des éléments essentiel des *Noyers de l'Altenburg* est l'opposition entre l'individu d'élite et la masse. « *Les intellectuels sont une race* », dit Malraux. Et M. Pompidou pose ces questions aux élèves : « Comment Malraux oppose-t-il l'intellectuel au peuple ? Relevez les traits par lesquels il cherche à montrer dans l'âme populaire la permanence de l'homme primitif. Pourquoi ? Dans quelle mesure est-ce le fond même de l'homme qu'il découvre ainsi ? » (Classiques Vaubourdolle, p. 95.) Dans une conférence de 1946, Malraux disait : « *L'homme est rongé par les masses...* » Tout le sens de la double conversion de Malraux au pouvoir personnel et à la vision esthétique est enfermé dans ces formules. Le destin ne peut être défié que par quelques-uns. « *Diriger. Déterminer. Contraindre. La vie est là...* », lisait-on dans *Les Conquérants*. Comme le dit le biographe officieux de Malraux, M. Gaëtan Picon : « le mythe du grand individu compense le sentiment de la vanité des idées ». *Le chef*, c'est l'homme d'exception qui affirme sa volonté de puissance dans le domaine de l'action. Sa matière première, ce sont les masses humaines. Garine disait déjà : « *À certains moments, j'aurais voulu tailler tout ça comme du bois.* » Tout ça :

c'est-à-dire la masse. *L'artiste,* vu par Malraux, c'est l'individu qui affirme sa grandeur dans le domaine de la création esthétique. Lui aussi s'oppose à la masse, car de la masse viennent des sentiments, non des valeurs de style, et la société ne saurait être créatrice.

Le rapport fondamental reste donc *le rapport avec soi-même.* Quand Malraux embrasse une cause, ce n'est pas pour faire progresser l'histoire, pour améliorer la vie des masses humaines, pour faire s'épanouir les individus dans une société où toujours plus de justice s'unira à toujours plus de solidarité, c'est pour en retirer des satisfactions subjectives, pour se prouver à lui-même ce dont il est capable. Dans son action, subsiste un fond *aristocratique* de luxe ou de gratuité. Elle est une aventure; de même que l'aventure d'une pensée qui nie la raison, le progrès et la puissance ascendante du mouvement des masses aboutit nécessairement au désespoir et à la vaine grandeur de la pensée la plus réactionnaire, celle de Nietzsche, cette action aventureuse conduit au Ministère de la Culture, de la Ve République. Mais un tel aventurier de la pensée et de l'action peut-il être l'homme d'État qui conduira la culture française vers les sommets lumineux qui s'irisent du côté de l'aurore?

1962. Attentat O.A.S. contre Malraux. La petite Delphine Renard est grièvement blessée. Elle perd l'œil droit. Malraux n'est pas atteint. Attentat O.A.S. contre de Gaulle. Accords franco-algériens d'Évian.

Joseph Hoffmann
Un humanisme tragique

Dans une lettre envoyée à A. Hoog, Malraux dégage avec clarté et précision l'unité profonde de son œuvre et de sa pensée :

ABBÉ JOSEPH HOFFMANN, *L'Humanisme de Malraux,* © Klincksieck, 1963.

Je pense que vous avez raison d'insister sur ce que vous appelez ma permanence. Non que je sois particulièrement préoccupé par elle : l'évolution de Nietzsche a sans doute plus de poids dans l'histoire que la constance de tel ou tel. Mais je pense que l'Altenburg, récrit, poserait seulement d'une manière plus claire le problème qui est sous-jacent à tout ce que j'écris : comment faire prendre conscience à l'homme qu'il peut fonder sa grandeur, sans religion, sur le néant qui l'écrase.

Fonder la grandeur de l'homme sur son néant même, sans religion, puisque l'homme doit être lui-même, et seul, l'artisan de son salut : le drame de l'homme doit trouver une réponse humaine, c'est-à-dire une réponse qui naisse des conditions mêmes de l'existence humaine. L'homme devra chercher à « *échapper à la condition humaine en tirant de lui-même les forces profondes qu'il avait été jadis chercher hors de lui* », et « *faire éclater la condition humaine par des moyens humains* ». Cessant de chercher sa vérité en Dieu et incapable de la trouver dans un monde qui ne saurait la lui donner, l'homme est contraint de la découvrir en lui-même, dans cette « *part divine* » qu'il recèle. Aussi l'œuvre de Malraux, prise dans son mouvement profond, se développe-t-elle comme un « *effort pour faire participer l'homme à une part privilégiée de lui-même, à ce qui en lui le dépasse* ». En face des menaces qui de toutes parts se dressent contre l'homme, il s'agit de découvrir et de préserver sa « *part éternelle* » qui est « *la volonté de se subordonner à ce qui, en lui, le dépasse* ». Mais comment saisir cette part éternelle, cette étincelle de divinité ? Nous entendons percer le secret de l'homme, alors que nous savons que toute question posée sur l'homme fait surgir la mort, l'absurde, la solitude et l'angoisse : toutes les figures du Destin. Aussi, nous dit Malraux : « *s'interroger en vain sur lui-même porte-t-il l'homme à s'interroger sur ses pouvoirs* ». De quoi l'homme est-il capable ? *Une ontologie de l'homme ne peut naître que d'une phénoménologie de l'action.* Saisir toutes les manifestations, passées et présentes, du pouvoir de l'homme pour tenter d'y percevoir l'affleurement — et la preuve — de cette « part éternelle » qui est en lui. L'interrogation sur l'homme devient attention à l'homme...

Cette recherche s'oriente dans deux grandes directions qui commandent les deux grandes avenues de l'œuvre de Malraux. Si Malraux a écrit des romans qui

racontent des révolutions, des insurrections ou des
guerres, et qui nous présentent des héros débordant
d'activité, il ne s'est jamais intéressé à l'action pour elle-
même, mais toujours à sa signification métaphysique :
toujours l'activité des personnages doit être reliée au
drame fondamental de l'Homme et à sa volonté d'échapper au néant de sa condition. Dans son essai *Malraux
par lui-même,* G. Picon écrit : « Il semble que Malraux ait
toujours été à la recherche d'une plénitude d'être qu'il
ne veut recevoir que de l'action, mais que l'action ne
peut lui apporter », et Malraux, en marge, approuve et
précise : « *En effet. Mais peut-être apporte-t-elle lorsqu'elle
est achevée (pas seulement à moi) la monnaie de ce sentiment...* »
L'action peut devenir une défense de l'homme contre
le destin si on la considère, non du point de vue de ses
résultats, mais du point de vue de l'attitude fondamentale de l'homme qu'elle implique. Par son action le
héros de Malraux — l'aventurier, mais surtout le révolutionnaire — se relie à un domaine de valeurs qu'il
pose par une exigence intérieure et au nom de cette
« *part éternelle* » qu'il porte en lui. Par là il s'arrache au
néant et à l'absurdité de sa condition : Kyo et Katow,
à l'instant de leur mort dans le préau, sont souveraine-
ment libres et le monde, pour eux, a perdu son poids
de destin. À propos de T.-E. Lawrence Malraux fait
cette remarque :

*Donner un sens à sa vie veut dire la soumettre à une valeur
incontestée par soi-même; les valeurs qui portent en elles cette
puissance salvatrice (liberté, charité, Dieu) impliquent un sacrifice,
ou l'apparence d'un sacrifice, au profit des hommes — que celui
qui les a choisies s'en soucie ou non. Qu'elles le proclament ou
l'ignorent, elles entendent changer le monde et sont par là, comme
l'art, les grandes alliées de l'homme contre le destin.*

Sous une forme plus concise et plus tendue c'est cette
même idée encore qui se retrouve dans l'adaptation
théâtrale de *La Condition humaine* :

*Si le monde a un sens, la vie aussi, mais précisément parce qu'il
n'en a pas, toute sa dérision ne peut prévaloir contre le plus humble
des actes de justice, d'héroïsme ou d'amour, si le monde n'a pas de
sens.*

Et si cette même pensée est reprise par Malraux dans un article reproduit par *L'Express,* c'est bien là un signe de l'importance que Malraux y attache, ou du moins de la place qu'elle tient dans ses préoccupations :

Si comme le pensaient sans doute les stoïciens, les dieux ne sont que les torches une à une allumées par l'homme pour éclairer la voie qui l'arrache à la bête (ou si les dieux sont totalement impensables), le plus grand mystère de l'univers est dans le moindre acte de piété, d'héroïsme ou d'amour.

Le dévouement à des valeurs révèle un « pouvoir » qui est en l'homme : celui d'opposer au non-sens du monde l'univers des valeurs qu'il crée. En se reliant à des valeurs — valeurs qu'il crée ou valeurs qu'il reçoit et assume à son tour — l'homme s'ordonne selon cette part de son être par quoi il échappe à l'animalité : sa « *part divine* » qui est « *son aptitude à mettre le monde en question* ». Le monde est mis en question, en effet, lorsque sont introduits dans la nécessité absurde du temps physique — du domaine de l'apparence — des actes librement posés par l'homme et reliés à des valeurs. Tout acte où l'homme engage le meilleur de lui-même — que ce soit la mort de Katow, le dévouement anonyme d'un combattant de *L'Espoir* ou le suicide du vieux Berger — signifie l'irruption d'une liberté dans le monde du Destin. La révolution, à son tour, échappe à l'éphémère agitation de l'histoire dans la mesure où, somme d'actes orientés et lourds de signification, elle manifeste la présence d'une volonté et d'une liberté humaines. L'effort de « l'homme en lutte contre la Terre » signifie que l'homme tente d'ordonner l'aveugle chaos du monde selon un ordre humain. Le saint, le héros et le sage nous apportent ici le témoignage secourable et fraternel d'une liberté exemplaire :

Certains grands hommes ont ce grand privilège, cette part divine, de trouver au fond d'eux-mêmes, pour nous en faire présent, ce qui délivre de l'espace, du temps et de la mort.

Pour avoir pris conscience de leurs fatalités et les avoir « organisées », ils révèlent la possibilité qui est en l'homme d'être victorieux du Destin :

Comme les types humains qui expriment les plus hautes d'entre elles, les valeurs suprêmes sont des défenses de l'homme. Chacun de nous éprouve que le saint, le sage, le héros, sont des conquêtes sur la condition humaine.

Ce pouvoir d'opposer au monde un univers régi par les lois que la volonté de l'homme lui impose, nous le retrouvons dans l'art — qui rejoint ainsi, en profondeur, le domaine de l'action. L'art, pour Malraux, signifie « *l'intrusion du monde de la conscience dans celui du destin* », et « Le Musée imaginaire *nous enseigne que le destin est menacé quand un monde de l'homme, quel qu'il soit, surgit du monde tout court* ». Le monde créé par l'artiste surgit d'un mouvement analogue à celui par lequel surgit l'univers du saint ou du héros. Cependant, dans la mesure où le monde de l'art constitue un domaine stable et universel — les œuvres du Musée sont de tous les temps et de tous les lieux — l'analyse de ce monde est plus féconde et plus décisive que celle de l'action pour qui tente de circonscrire le mystère de l'Homme. Et nous voyons ainsi la raison véritablement profonde de cette orientation nouvelle donnée par Malraux à son œuvre depuis 1945 : la méditation sur l'art est appelée par l'œuvre révolutionnaire même et par l'humanisme héroïque qui se constitue à travers elle. Sans doute les romans, en nous proposant les exemples des héros, nous donnent-ils le témoignage d'hommes qui, par l'exercice de leur liberté, se sont haussés au-dessus de leur condition et dont la vie « met le monde en question »; il reste qu'on pourra toujours se demander si le destin de ces héros n'est pas plus exceptionnel qu'exemplaire, et si leur victoire — à supposer qu'elle n'est pas illusoire mais réelle — a un degré d'objectivité et de réalité suffisant pour permettre l'élaboration d'une image nouvelle de l'homme. *Les Noyers de l'Altenburg*, déjà, devaient apporter une réponse à cette question : Malraux y interrogeait l'histoire pour saisir à travers elle la permanence de l'Homme, et c'est dans cette perspective qu'apparaît la fécondité de l'interrogation qu'ensuite il adresse au monde de l'art. Ce monde, en effet, apporte un témoignage dont la réalité objective et la portée universelle sont irrécusables : accueillant les œuvres de tous les temps et de tous les continents, le Musée apparaît comme le lieu privilégié des apparitions de l'Homme. [...]

« *Toute pensée agnostique est une pensée interrogative* », nous écrivait Malraux en 1955, et dans sa conférence sur *l'Homme et la Culture artistique* il définissait ainsi l'orientation de l'humanisme aujourd'hui :

> *Il y a un humanisme possible, mais il faut bien nous dire, et clairement, que c'est un humanisme tragique. Nous sommes en face d'un monde inconnu; nous l'affrontons avec conscience. [...] Les formes de l'esprit se définissent, à l'heure actuelle, par leur point de départ et la nature de leur recherche. Colomb savait mieux d'où il partait qu'où il irait. Et nous ne pouvons fonder une attitude humaine que sur le tragique parce que l'homme ne sait pas où il va, et sur l'humanisme parce qu'il sait d'où il part et où est sa volonté.*

L'humanisme se définit par son « point de départ » : une prise de conscience de la condition de l'homme, et par la « nature de sa recherche » : trouver ce qui permettra à l'homme de vaincre le Destin. En fait, si l'homme agnostique peut encore se saisir, c'est uniquement en tant qu'« être interrogeant », et s'il peut se trouver, c'est uniquement dans le mouvement par quoi il se cherche : sa seule certitude consiste en son incertitude, et c'est sur elle seule qu'il peut tenter de se construire. D'interrogation en interrogation s'imposera ainsi le mystère de la présence de l'homme sur terre :

> *Le plus grand mystère n'est pas que nous soyons jetés au hasard entre la profusion de la matière et celle des astres, c'est que, dans cette prison, nous tirions de nous-mêmes des images assez puissantes pour nier notre néant...*

Et pour Malraux l'image la plus profonde de l'homme est sans doute celle que suggère l'œuvre de Goya :

> *Il n'est pas moins de la nature de l'homme de se vouloir immortel, que de se savoir homme.*

L'Homme? un Grand Navigateur dont l'histoire se souviendrait uniquement parce qu'un jour il a quitté les vieilles terres d'Occident?

Lucien Goldmann

Introduction à une étude structurale des romans de Malraux

Serait-il trop osé de rappeler ici notre hypothèse initiale selon laquelle l'œuvre *proprement littéraire* de l'écrivain, sa possibilité de créer des univers imaginaires concrets à visée réaliste était étroitement liée à une foi en des valeurs humaines universellement accessibles à tous les hommes, les écrits conceptuels correspondant au contraire à l'*absence* d'une telle foi, que cette absence ait la forme de la désillusion initiale ou celle de la théorie des élites créatrices annoncée dans *Les Noyers de l'Altenburg* et développée à partir du *Musée imaginaire*.

Le romancier Malraux, entre *Les Conquérants* et *La Condition humaine,* est un homme qui *croit* à des *valeurs universelles* bien que *problématiques*. L'écrivain Malraux du *Temps du mépris* et de *L'Espoir* est un homme qui croit à des valeurs humaines universelles et *transparentes,* bien que hautement *menacées*. L'auteur des *Noyers de l'Altenburg,* ouvrage qui se situe entre la création littéraire et la réflexion conceptuelle, est un homme qui raconte sa désillusion et cherche encore un fondement à sa foi en l'homme. [...]

On pourrait, nous semble-t-il, caractériser de la façon suivante les quatre récits qui, dans l'œuvre de Malraux, ont pour sujet la révolution prolétarienne :

Les Conquérants sont le roman des relations entre *l'individu problématique*[1] — Garine — et la révolution qui

Lucien Goldmann, *Revue de l'Institut de Sociologie,* Solvay, 1963, II.
Ce texte a été repris dans *Lucien Goldmann : Pour une sociologie du roman* (coll. Idées, © éd. Gallimard, 1964).

---

1. Pour éviter tout malentendu, précisons que nous employons le terme de personnage problématique non pas dans le sens « qui pose des problèmes », mais dans celui de personnage dont l'exis-

lui permet de donner, de façon provisoire et précaire, un sens authentique à son existence.

La Condition humaine est le roman des relations entre *la communauté problématique* des révolutionnaires de Shanghaï, lesquels, en tant qu'individus, ont trouvé *définitivement* une signification authentique à leur existence dans le combat et dans la défaite, et l'ensemble de l'action révolutionnaire à l'intérieur de laquelle la tactique de l'Internationale communiste rend leur mort et leur défaite inévitables.

Le Temps du mépris est le récit de la relation *non problématique* de l'individu Kassner avec la communauté *non problématique* des combattants révolutionnaires, et, implicitement, avec le parti communiste qui en fait partie et la dirige.

L'Espoir, enfin, a pour sujet la relation *non problématique* du peuple espagnol et du prolétariat international avec le parti communiste discipliné et opposé à la spontanéité révolutionnaire. [...]

Nous nous trouvons en présence d'un écrivain particulièrement représentatif, et son évolution pose, dans le double sens de sa nature et les dangers qu'elle recèle, les problèmes principaux que soulèvent les rapports entre la culture et la phase la plus récente de l'histoire des sociétés industrielles occidentales.

Disparition des perspectives et des espoirs révolutionnaires, naissance d'un monde où tous les actes importants sont réservés à une élite de spécialistes (qu'on peut appeler créateurs ou technocrates selon qu'il s'agit de la vie de l'esprit ou de la vie économique, sociale et politique), réduction de la masse des hommes à de purs objets de l'action de cette élite, sans aucune fonction réelle dans la création culturelle et dans les décisions sociales, économiques et politiques, difficulté de poursuivre la création imaginaire dans un monde où elle ne peut pas prendre appui sur des valeurs humaines universelles, autant de problèmes qui, manifestement,

---

tence et les valeurs le situent devant des problèmes insolubles et dont il ne saurait prendre une conscience claire et rigoureuse (ce dernier trait séparant le héros romanesque du héros tragique). *(Note de Lucien Goldmann.)*

concernent aussi bien le dernier stade de l'œuvre de
Malraux, que l'évolution récente de nos sociétés...

Pierre de Boisdeffre
« La rupture de l'unité humaine »

La philosophie (ambiguë) qui se dégage de l'œuvre de
Malraux consacre *la rupture de l'unité humaine* : il a cessé
de reconnaître dans l'espérance révolutionnaire un facteur possible d'unification et de progrès sans pour autant
accorder à un autre « mythe », fût-ce la révélation chrétienne, un pouvoir semblable. L'homme est donc, le
jouet des fatalités qu'il entendait dominer : il ne peut
rien contre la mort — à l'exception des formes recréées[1]
qui, seules, en définitive, demeurent, lorsque le vent
de l'histoire a déraciné les civilisations, — ni contre les
fatalités naturelles, qu'elles lui soient extérieures ou
intérieures (érotisme).

Le monde romanesque de Malraux est un univers
sans communication entre les êtres : *c'est le monde de la
séparation.* Les vastes dialogues qui le recouvrent sont,
en fait, une succession de monologues, où chacun parle
à soi-même, pour soi-même, sans penser à l'interlocuteur qui n'est pas une seconde ébranlé. Anarchistes et
communistes, aventuriers et militants, intellectuels et

P. DE BOISDEFFRE, *André Malraux,* © Éd. Universitaires, Classiques du XXᵉ siècle, Paris 1963.

---

1. *Dans un monde aux trois quarts atomisé, il se peut qu'on se sou-
vienne de la voix d'Antigone et quand le premier artiste reparaîtra dans
les ruines de la dernière ville-spectre, en Occident ou en Russie, il reprendra
le vieux langage de la découverte du feu, de l'invention des bisons magda-
léniens. Une fois de plus, sur la terre qui porte la trace de la demi-bête
aurignacienne et celle de la mort des empires, l'écho millénaire se mêlera
au bruit du vent sur les ruines. « Je ne suis pas venu pour soumettre ma
part divine, mais pour rétablir l'homme et lui rappeler sa grandeur à
voix basse. »* (Cité par Pierre de Boisdeffre.)

paysans, hommes et femmes y parlent un langage incompréhensible à l'autre. Et de même que Malraux se refusait à envisager un dialogue entre Platon et le prophète Élie, *ses héros ne peuvent se réconcilier sans se nier :* pas de synthèse possible entre Garine et Tchen-Daï, Ferral et Kyo, Manuel et le Négus.

Pire : l'adversaire est éliminé; dans *Le Temps du Mépris* comme dans *L'Espoir,* les hommes combattent contre des ombres... [...]

Malraux a su exprimer les fatalités de notre temps; mais il ne les a pas résolues. Son humanisme reste voué au désespoir; au mieux à l'illusion esthétique, s'il ne s'ouvre pas vers des vérités plus hautes. Or, on ne fonde pas sur le désespoir. Et c'est bien là — et non dans ses engagements politiques — qu'est le vrai « cas Malraux » : *le pessimisme a-t-il un avenir créateur ?* [...]

Il semble que Malraux n'ait pas rompu avec la tentation de Faust, avec la révolte de sa vingtième année. Et pourtant, on sent bien qu'il a dépassé le stade de l'aventure, le culte de l'action. Vers les années 1950, toute une part de son œuvre, semblait appeler des conclusions qui pourraient l'intégrer, plus tard, dans une perspective chrétienne[2]. Mais il n'a pas manifesté jusqu'ici l'intention de rejoindre ceux qui, depuis deux mille ans, tentent de promouvoir un nouvel Adam, de réaliser la vocation divine de l'humanité — et non de la diviniser. D'où l'impression d'*inachèvement,* d'*ambiguïté,* qu'offrent ses derniers livres. Malraux, qui revient de loin, représente encore ce qu'il y a de meilleur dans notre monde menacé par une sorte de néantisation. Les valeurs qu'il défend figurent dans l'héritage chrétien. Même s'il refuse d'assumer tout cet héritage, sachons-lui un gré immense d'avoir tenté de transformer en conscience une histoire aveuglée, et de faire sourdre de chaque homme sa part divine. Mais l'homme n'est peut-être pas un interlocuteur à sa taille.

---

2. C'est un communiste, Georges Mounin, qui constata lui-même (avec pitié) : « Dans *Les Noyers,* Pascal a repris nommément possession de Malraux » (*Les Lettres Françaises,* 7 juin 1946). *(Note de Pierre de Boisdeffre. — Nous avons cité plus haut l'article entier de Georges Mounin.)*

1967. Malraux fait paraître le premier tome de ses *Antimémoires* (trois autres tomes sont annoncés qui ne paraîtront sans doute qu'après sa mort et celle des grands personnages qu'il évoque). Le volume est salué comme celui d'un maître, et comparé par de très nombreux critiques aux *Mémoires d'outre-tombe* de Chateaubriand[1]. Cependant les analyses sont restées en général, jusqu'ici, assez superficielles. Nous avons choisi de reproduire un article peu connu qui tente d'expliquer en profondeur, après les dix admirables pages du prélude de Malraux, le sens mystérieux du titre — ambigu jusque dans son genre puisqu'on peut le lire aussi au féminin.

Jean Lescure
Pour une relecture des Antimémoires

[« Anti »,] Malraux n'a pas usé souvent de ce préfixe. Mais il l'a fait une fois dans un sens si essentiel à notre éthique qu'il y a lieu d'en considérer le retour ici comme de grande conséquence. Il semble qu'à la fameuse formule : *« l'Art est un antidestin »* répond ici une antimémoire condition de l'art.

Je ne me résous pas à ne voir dans ce titre d'*Antimémoires* qu'un trait polémique contre les faiseurs d'Histoire. On n'a pas assez insisté sur l'importance des titres dans l'œuvre d'André Malraux. Ils constituent pourtant les mots clés d'une éthique qui dès le début s'est engagée à justifier l'homme de ses exigences. Je ne me sens pas convaincu lorsque André Malraux déclare : *« Ce qu'on trouvera ici, c'est ce qui a survécu. Parfois, je l'ai dit, à*

JEAN LESCURE, © *Bicolore*, septembre 1969.

---

1. Voir en particulier la conférence de Jean-Albert Bédé au XXe Congrès de l'Association internationale des Études françaises, publiée dans les Cahiers de cette Association, n⁰ 21.

condition d'aller le chercher. » Ou du moins « *ce qui a survécu* » je ne peux l'entendre comme une anthologie de
souvenirs. Quelque chose m'invite à chercher d'abord
dans ces survivances quelque secrète opération montée
pour répondre à, et pour répondre de l'homme.

Quel sens peut-on trouver à cet « *aller le chercher* » qui
désigne, semble-t-il, un effort de remémoration? Aller
chercher un souvenir c'est encore interroger. C'est
interroger un étonnant silence, une sorte de masque
peut-être. Pour y trouver quoi? Encore une fois pas
un souvenir d'enfance ou autre, les concrétions de cette
mémoire qui selon les spécialistes fonde l'identité.
« *Je ne m'intéresse guère* », dit Malraux. Je me risque à voir
dans ce titre une double affirmation qui pourtant se
résout en une seule réalité. Ces deux assertions peuvent
paraître d'abord extrêmement distinctes et viser deux
ordres de chose fort différents. Elles confluent cependant et dessinent enfin tout ce que la condition humaine
peut porter de réalité.

D'une part, il me semble que ce mot désigne une
certaine position vis-à-vis d'une des fonctions les plus
importantes de l'esprit : la mémoire et sa conséquence
à la mesure de l'espèce : l'histoire. Sur ce point, l'attitude d'André Malraux pourrait surprendre. Son titre
semble poser la nécessité d'une lutte contre la mémoire
(le passé individuel fixé) et contre les mémoires (l'histoire fixe).

D'autre part, le même mot vise un genre de littérature nommé Mémoires; ces ouvrages qui appartiennent
et n'appartiennent pas à la littérature, qui ne peuvent
prétendre à la perfection que par des vertus extralitté-
raires d'authenticité et de véracité, vertus de témoignage plutôt que d'art du langage. [...] A une époque
où les genres traditionnels de l'art sont remis en question, où le Journal-de-Gide est devenu un genre pratiqué
par bien des écrivains, André Malraux propose simplement ce genre nouveau — qui fera des petits : les Antimémoires. Mais ils se qualifient moins par une vertu
littéraire nouvelle injectée aux anciens mémoires, que
par une opération de métamorphose du roman moribond.

Deux propositions m'apparaissent ainsi contenues,
bloquées dans ce seul mot. Visant des objets différents
(d'une part la littérature comme forme, d'autre part

la mémoire comme rapport au monde), il ne semble pas qu'elles s'unissent facilement.

Mais examinons mieux. Et d'abord qu'est-ce que la mémoire pour André Malraux. Dans *La Voie royale*, trois phrases ouvrent une réflexion qui n'a pas cessé : la première : « *Ils se transforment les souvenirs... L'imagination, quelle chose extraordinaire! En soi-même, étrangère à soi-même...* » et : « *Vous ne soupçonnez pas ce que c'est que d'être prisonnier de sa propre vie... Vous ne savez pas ce que c'est que le destin limité, irréfutable, qui tombe sur vous comme un règlement sur un prisonnier : la certitude que vous serez cela et pas autre chose, que vous* AUREZ ÉTÉ *cela et pas autre chose...* » (C'est moi qui souligne. Ce passé qui figure le destin : la négation de la liberté.) Enfin : « *Une mémoire, mon petit, c'est un sacré caveau de famille.* »

Chez Malraux, la mémoire n'a pas la bénévolence romantique d'un souvenir heureux « peut-être sur terre plus vrai que le bonheur ». Ce n'est pas cependant qu'elle n'éveille que des regrets, des amertumes, des blessures, des chagrins, d'horribles mélancolies[2]. On sait vivre et Malraux a eu (il a) de « bons moments » comme on dit. Mais qu'il soit heureux ou malheureux, le souvenir s'oppose à vivre. Il ferme une figure. Il compose un monde clos. Il achève. Il est donné. En lui, les possibles se défont. Il s'oppose enfin à ce qui fait le fondement de la dignité humaine : le pouvoir d'interroger. C'est qu'il se donne d'abord comme une réponse, la plus facile. Il masque une question plus profonde, celle qui concerne « *la mort qui affleure... dans l'irrémédiable*

---

2. Malraux s'est longtemps passionné pour les recherches médicales contre la douleur. « *On est sur le point de trouver le remède à la douleur psychique*, me disait-il un jour (en 1967). *Jusqu'ici on avait de quoi faire oublier — et il est vrai qu'on arrivait à empêcher de souffrir — on avait oublié, mais on était du même coup détruit. Ça se paye cher de ne pas souffrir...* » Il avait essayé d'inciter des médecins à entreprendre des recherches dans ce sens, à créer une clinique spécialisée, un centre de recherches. Il en avait parlé au docteur L. qui se récusait à cause de son âge. Mais il croyait savoir qu'en Amérique on mettait au point un remède « *qui épaissit le temps* ». « *Vous n'oubliez rien*, me dit-il, *mais c'est comme si vingt ans s'étaient écoulés entre votre malheur et la conscience que vous en avez. Vingt ans plus tard votre conscience est aussi vive, mais, on a beau dire, la douleur n'est plus la même.* » (Note de Jean Lescure)

tu ne sauras jamais tout ce que cela voulait dire » et Malraux
ajoute : « *En face de cette question, que m'importe ce qui
n'importe qu'à moi.* » [...]

Les souvenirs encombrent une âme trop sensible [...]
Comment écarter tout le passé qui nous englue et
nous livre à ses conséquences fatales? Car rien autant
que ce passé ne s'oppose à la première règle de la morale
d'André Malraux qui est, on le sait, de transformer en
conscience une expérience aussi grande que possible.

Une première forme de la métamorphose opère dès
l'expérience. C'est la transformation en conscience.
Mais l'expérience dramatique s'oppose à cette transformation, elle bute sur sa fascination. La douleur ne tolère
pas d'autre conscience que celle de son déchirement.
Rien n'aveugle, n'asphyxie, ne paralyse, n'égare comme
le désordre où nous jette le monde passionnément
vécu. La clarté de l'esprit en est sans fin occultée, sa
lucidité offensée. Ce sont les émeutes, physiques, de
l'émotion qui s'opposent à la liberté de l'esprit. L'expérience qui se transforme en conscience est celle qui ne
mobilise pas la sensibilité, celle qui n'émeut, n'affole,
ni ne désole. Pour peu que l'expérience vécue soit
qualifiée par l'amour ou la mort, elle s'oppose à laisser
la conscience tirer d'elle autre chose que ses cris ou d'in-
soutenables silences, et l'expérience pathétique n'aboutit
jamais qu'à la considération désolée d'une « vie sanglante
et vaine ».

C'est le destin cela, c'est l'homme livré à sa propre
fatalité. Et cependant la vie ne peut être négligemment
vécue, ni affrontée avec indifférence. C'est passionnément seulement qu'on peut la connaître. Il faut la
souffrir. Mais être capable de se dégager de ce corps
trop émouvant et d'en porter la connaissance à quelque
lucidité qui en figure comme la transcendance. Contre
une vie trop pathétiquement vécue, Malraux devait
mobiliser les puissances de la froideur, les énergies du
refroidissement, l'ironie amère d'une certaine anesthésie.

Si, écartant une mémoire exacte et dramatique,
l'homme peut examiner son passé, en se délivrant par
l'épaisseur du temps d'en souffrir à nouveau les boule-
versements, s'il peut, contre sa mémoire, aller redé-
couvrir des souvenirs, alors une nouvelle dimension
s'ouvre à sa conscience, alors la transformation en

conscience est possible. Alors les souvenirs sont enfin questionnables. Et lorsque Malraux, à la mesure de l'Histoire, écrivait : *« le passé se conquiert »*, il ne savait peut-être pas encore qu'il allait un jour entreprendre de conquérir le sien pour redonner à son interrogation une dimension nouvelle.

Nous nous doutons un peu que nous ne vivons qu'une infime partie de notre vie et l'instant où nous souffrons, comme celui où nous pensons, comme celui où nous agissons, ne livre de lui-même qu'une part très aveugle. Délivré d'une mémoire trop complaisante, au lieu de nous paralyser, notre passé nous offre un futur. Il nous nourrit sans nous retenir à table. Un homme n'est pas arrêté dans son passé. Il n'en est pas la somme. Il est dans son avenir, ou il est mort. Ou plutôt, il demeure dans ce qui, en son avenir, maintient possible en lui son pouvoir d'interroger. Ce que ces *Antimémoires* affirment, c'est que l'homme, quels que soient le poids de son passé et les contraintes que font peser sur lui une longue suite de choix dramatiques, n'en est pas pour autant « prisonnier », qu'il demeure libre, et qu'il conserve la franchise d'y reprendre sans fin l'interrogation obstinée qui compose son existence. *« La mort seule transforme irrémédiablement le passé en destin. »*

Car *« l'homme n'atteint pas le fond de l'homme, il ne trouve pas son image dans l'étendue des connaissances qu'il acquiert, il trouve une image de lui-même dans les questions qu'il se pose. L'homme que l'on trouvera ici, c'est celui qui s'accorde aux questions que la mort pose à la signification du monde »*, dit encore André Malraux. Et dans la même page : *« ... il est possible que dans le domaine du destin, l'homme vaille plus par l'approfondissement de ses questions que par ses réponses »*.

Cependant, il est dans ses réponses quelque chose qui sans répondre à rien, qui sans accroître le moins du monde *« l'étendue des connaissances »*, introduit dans le monde une réalité spécifiquement humaine. C'est l'art. Antidestin, comme l'antimémoire, il opère les métamorphoses de l'expérience. Mémoire sans pathos, mémoire du futur, il se livre à la réalité singulière des mots. Dans toute phrase de littérature, parut-elle énoncer un fait d'expérience exacte, opère plus ou moins une puissance du langage qui porte ce fait de quelque manière hors de lui-même, au-delà de ses conditions, et le métamorphose. C'est parce que notre façon d'être au monde passe par le langage et parce que nous sommes pris dans ce monde du langage ouvert en l'art de littérature que nous avons pouvoir d'échapper à la fatalité et de décider de notre histoire. Transformer en conscience la plus grande expérience possible, c'est élaborer du langage. L'art d'André Malraux est ici — non peut-être sans une secrète ironie — de nous présenter un langage porté à ce qu'on pourrait appeler sa limite d'indétermination, où fait à chaque instant énigme la référence exacte des mots à ce qu'on croit la réalité et qui n'est peut-être qu'un songe pâteux, ou à l'imaginaire (je ne dis pas le rêve) qui est peut-être la réalité.

De sorte que le genre littéraire créé par André Malraux et que le mot *Antimémoires* désigne est finalement le moyen qui lui permet d'exercer sa morale et de mener à bien la longue tâche qu'il s'est donnée de poursuivre son rôle d'homme. Ce que répond cette vie « *à ces dieux qui se couchent et à ces villes qui se lèvent* » c'est que malgré le sang et la tristesse, il reste pour l'homme la possibilité de s'assurer de sa liberté et d'en fonder son histoire. Toujours les dieux se chargent de nous représenter notre faiblesse. Notre réponse est d'obstination créatrice et de question recommencée. [...] Dans les pages obstinément d'un livre quelque chose triomphe du désespoir et laisse paraître, insolite peut-être, invraisemblable presque, la hautaine fraternité des hommes dans une seule petite phrase brillant au fond de cette œuvre de l'éclat secret des veilleuses vivantes de la mort : « *et toi, douceur, dont on se demande ce que tu fais sur la terre* ».

Claude Bonnefoy

Un écrivain sans lignée

Voici que Malraux devient notre Chateaubriand. Chez l'un comme chez l'autre, même jeunesse roman-

CLAUDE BONNEFOY, *Le Monde*, 27 septembre 1967.

tique, frondeuse, aventurière, même goût des hautes charges politiques dans l'âge mûr, même besoin après un long silence, après l'apparent détachement à l'égard des thèmes qui constituaient l'apport essentiel, la nouveauté de l'œuvre, d'écrire l'histoire de ses idées et de ses sentiments — lesquels, justement, sont la matière et la clé de l'œuvre — autant pour en retrouver la vivacité que pour y mettre enfin de l'ordre. Le parallèle était tentant. Les *Antimémoires* n'avaient pas paru qu'on les nommait déjà des *Mémoires d'outre-tombe*.

Flatteuse, cette comparaison, cependant, recèle un secret venin. Poursuivons-la. Le romantisme était sur son déclin, le levain de *René*, d'*Atala*, du *Génie du christianisme* était depuis longtemps retombé lorsque parurent les *Mémoires d'outre-tombe*. Leur comparer les *Antimémoires* n'est-ce pas implicitement reconnaître ceci : Malraux publie son livre au moment précisément où les jeunes écrivains répudient la notion d'engagement, entendent contester la littérature, non par l'action, mais du dedans, par l'écriture elle-même, où les jeunes philosophes annoncent la fin de cet humanisme né au xixe siècle et dont *La Condition humaine* fut l'une des plus belles illustrations. Cela rappelle alors singulièrement le mot de Jean-René Huguenin sur Malraux : « *Un grand écrivain disparu.* » Et la question se pose. Malraux n'est-il pas un écrivain qui nous parle du passé, dont l'œuvre se situe dans le passé?

Ici on objectera que cette œuvre pressentait l'évolution politique du monde moderne, la rencontre avec Mao dans les *Antimémoires* confirmant d'une certaine manière *Les Conquérants* et *La Condition humaine*. Sans doute, encore qu'il faille ce génie de la synthèse hasardeuse qu'on rencontre quelquefois dans *Les Voix du Silence* et *La Métamorphose des Dieux* pour concilier ces écrits esthétiques et la révolution culturelle. Mais c'est de l'écrivain qu'il s'agit. Or son œuvre ne pressentait que faiblement l'évolution de la littérature, et, si requérante qu'elle soit toujours, elle est aujourd'hui sans lignée. Les jeunes écrivains peuvent l'aimer. Elle est hors de leur champ. Ils ne s'y réfèrent pas. Et pas plus ne s'y opposent. Si on suit Sartre ou si on se heurte à lui, c'est à cause de sa rigueur, de la cohérence de sa pensée fût-ce à travers de subtiles variations. Son humanisme reste ce par rapport à quoi on se détermine aujourd'hui, pour ou contre. Plus frémissant, plus émouvant parfois, Malraux ne joue pas le même rôle. Pourtant il est humaniste, pourtant il annonce Sartre et sa fameuse phrase sur « *la mort qui change la vie en destin* » contient en germe tout *Huis clos*.

Mais trop changeant, trop mobile, trop difficile à saisir dans sa continuité — le retour à la phrase plus cadencée à partir des *Noyers de l'Altenburg*, la permanence depuis les *Lunes en papier* du thème de la mort — Malraux a quelque chose de mythique. Sous ses différents visages, il est difficile de deviner le vrai. Trop souvent, on en vient à choisir l'un d'eux, exclusivement. C'est ainsi que Malraux devient un romancier d'avant guerre.

Cela ne devrait point empêcher sa leçon de porter. D'autant que ses romans sont toujours très lus. Depuis vingt ans, il n'est presque pas de jeunes gens qui n'aient eu de l'admiration pour Malraux, qui n'aient subi sa fascination. Mais au moment d'écrire, ils l'abandonnent. Car la fascination n'est pas féconde. Elle exclut le dialogue. Son pouvoir ne se transmet pas. Ou alors il faudrait s'engager dans les brigades internationales (mais c'est trop tard), non dans l'écriture.

Or pour l'écrivain, pour le philosophe d'aujourd'hui, c'est justement l'écriture qui fait question. C'est elle qu'on interroge. On ne s'y abandonne que pour mieux la mettre à l'épreuve. C'est elle qui nous impose un héritage culturel et conceptuel, elle dont il importe de forcer les limites si l'on veut dépasser ou renverser cet héritage. D'où l'intérêt pour tous les auteurs qui, d'une manière ou d'une autre, ont tenté de forcer les barrages : Marx, Freud, Nietzsche, Husserl, Sade, Artaud, Genet, Bataille, etc. Non pour Malraux, qui reste l'homme de l'humanisme, qui a inscrit ses révoltes dans le courant d'une culture classique, qui a rêvé sur l'art avec la nostalgie du sacré.

Pourtant Malraux, plus que Camus, plus que Sartre, aurait pu annoncer cette littérature nouvelle. Il a aperçu, il a même parfois entrebâillé les portes qu'il fallait ouvrir, mais pour prendre aussitôt une autre direction. Le jeune auteur de *Lunes en papier*, d'*Écrits pour une idole à trompe*, de *Royaume-Farfelu* découvre après Salmon, Fleuret, Max Jacob les délices du style travaillé et les surprises de l'écriture. Quand, à travers ces jeux d'artiste, il perçoit les limites mêmes de l'écriture, au lieu de chercher à les franchir, il change de vie et s'engage dans l'action. Du même coup, comme écrivain, il change de style. Mais écrire volontairement à l'envers de sa première manière, substituant la phrase rapide, directe, collant au réel, à la prose raffinée, imaginée, volontiers symbolique, ne résout pas le problème de l'écriture. Le rencontrant, il a sauté pardessus à pieds joints.

Également, il a pressenti la valeur de transgression de l'érotisme (que Bataille devait mettre en évidence), comme l'importance des notions de forme et de structure. Mais là encore, comme dans ses épopées révolutionnaires où il entrevoit les buts fondamentaux mais préfère l'action pour l'action et le jeu avec la mort, son lyrisme, son goût des élans métaphysiques et des synthèses rapides et brillantes le détournent des analyses qu'impliquaient, qu'appelaient ses intuitions premières.

Mieux, cet humaniste étrange pour qui la femme, dans *La Voie royale,* se réduisait singulièrement à son sexe, et qui parlait mieux du sadisme que de l'amour, a éprouvé dramatiquement la fin possible de l'humanisme. Transposant Nietzsche qu'il avait admirablement décrit, dans *Les Noyers de l'Altenburg,* fou et chantant l'un de ses poèmes dans le wagon qui l'emportait, il posait après guerre la question : « *L'homme est-il mort, l'homme va-t-il mourir ?* » Mais éludant la réponse, il choisissait le dialogue avec l'art, avec l'histoire, avec ses rêves, et s'installait dans le monde de la culture moins pour l'analyser et le contester que pour le reconstruire avec, il faut le reconnaître, une intuition parfois géniale. Par là il s'enfermait dans sa solitude.

Et s'il nous séduit toujours, par le frémissement de sa voix comme par ce qu'il a pressenti, c'est comme un astre solitaire, non point lune en papier, mais étoile très réelle qui a sa place à quelques années lumière. La jeune génération littéraire peut le saluer de loin. Mais elle passe. Il n'influe pas sur son destin.

François Mauriac
« *Le plus grand écrivain français vivant* »

Malraux, du moins je le crois, demeure le plus grand écrivain français vivant et à coup sûr le plus singulier. Tous les autres, si différents qu'ils soient, ont entre eux quelques traits communs, ils sont de la famille. Malraux, lui, s'il n'a certes pas été méconnu, demeure un inconnu. D'abord parce que l'intelligence et la culture à partir d'un certain degré isolent celui qui les possède et qui en est en même temps possédé. Les interlocuteurs de Malraux s'essoufflent à le suivre, demeurent hésitants au bord d'une idée sans liaison apparente avec ce qui l'a précédée. Ils repartent, mais Malraux est déjà loin. Il ne dirait pas comme Aragon (cité par Claude Roy) : « Je ne m'abaisse pas à parler aux gens, il m'arrive de penser devant eux. » Malraux, lui, ne croit pas s'abaisser en nous parlant mais il va son train et il nous fait l'honneur de croire que nous le suivons.

Il n'a pas tiré ses livres, comme la plupart d'entre nous, d'une enfance qu'il exècre; il les aura vécus, non pour raconter ses aventures, mais en épousant étroitement sur le terrain l'histoire en train de se faire, pour s'interroger sur la condition humaine tragique et absurde, la sienne, la nôtre, sans perdre conscience à aucun moment, et dès sa jeunesse, du vieillissement, de la mort inévitable.

C'est peu de dire qu'il n'a eu recours à aucune « grille » religieuse, ni surtout à celle des chrétiens : il la rejette délibérément et pour toujours. Aucun prolongement métaphysique chez lui comme (peut-être) chez l'auteur d'*En attendant Godot*. Je doute s'il a jamais cru, même communiste, et quand il combattait en Espagne, dans les rangs du Frente popular, à quelque forme de progrès social que ce soit, s'il a cru qu'on pouvait changer le monde; mais il a cru que l'homme peut se

François Mauriac, *Le Figaro littéraire*, 3 novembre 1969.

dépasser : il lui reste le courage, le combat mené sur les points chauds de la planète, sans autre espoir que d'y laisser la marque de son passage comme a fait Lawrence...

André Malraux

L'homme ne devient homme que dans la poursuite de sa part la plus haute... Notre plus grande efficacité ne peut être assurée que par notre plus grande volonté de liberté.

NOTE BIOGRAPHIQUE

1901 : Naissance de Malraux à Paris ; son premier prénom à l'état civil est Georges.

1909 : Mort de son grand-père, « mort de vieux Viking ».

1919 : Malraux travaille pour le libraire et éditeur René-Louis Doyon, et il étudie, partout où il le peut, les œuvres d'art anciennes et modernes.

1920 : Malraux publie son premier article : *Des origines de la poésie cubiste.*

1921 : Malraux publie son premier livre : *Lunes en papier.*

1923 : Il part pour l'Indochine, s'enfonce dans la forêt cambodgienne, arrache au temple en ruine de Banteaï Srey quelques très belles statues. Il est arrêté à Pnom-Penh la veille de Noël.

1924 : Il est condamné en juillet à trois mois de prison. Le jugement sera cassé en appel.

1925 : Malraux organise le mouvement Jeune Annam et publie de nombreux articles dans *L'Indochine,* puis ce premier journal ayant été asphyxié, dans *L'Indochine enchaînée.*

1926 : Il dirige à Paris les éditions A la Sphère et publie *La Tentation de l'Occident.*

1927 : Il est chargé chez Gallimard de la direction des éditions et expositions d'art, il publie *D'une jeunesse européenne.*

1928 : Il publie *Les Conquérants* (roman) et *Royaume-Farfelu* (histoire).

1930 : Nombreux voyages. Suicide de son père. Malraux publie *La Voie royale.*

1933 : Malraux publie *La Condition humaine* qui obtient le Prix Goncourt.

1934 : Malraux préside les Comités mondiaux pour la libération de Thaelmann et de Dimitrov ; il participe à la fondation de la Ligue Nationale contre l'Antisémitisme, à de nombreuses réunions, congrès et meetings des intellectuels antifascistes. Il survole avec Corniglion-Molinier le désert de Dhana pour tenter de découvrir l'ancienne capitale de la reine de Saba.

1935 : Il publie *Le Temps du mépris,* commence sa *Psychologie de l'Art.*

1936-1937-1938 : Dès le lendemain du coup d'État des généraux contre la République espagnole, Malraux négocie des fournitures d'armes et d'avions pour le gouvernement républicain ; il crée et commande l'escadrille internationale España, il participe aux combats de Medellín, Tolède, Madrid, Teruel. À Paris et à New York il demande aux démocraties d'aider la démocratie espagnole comme les fascismes aident le franquisme. Il écrit et publie *L'Espoir,* tourne *Sierra de Teruel.*

1939 : Malraux s'engage comme simple soldat dans les chars d'assaut.

1940 : Il combat dans les chars, est fait prisonnier, s'évade.

1941-1942 : Il travaille à *La Lutte avec l'Ange,* à un ouvrage sur T. E. Lawrence, à sa *Psychologie de l'Art.*

1943 : *Les Noyers de l'Altenburg* paraissent en Suisse. La Gestapo pille sa bibliothèque, détruit ses manuscrits.

1944 : Malraux, chef de quinze cents maquisards du Sud-Est, tombe dans une embuscade le 23 juillet 1944 ; il est blessé, passe devant la Gestapo qui torture devant lui d'autres résistants. Comme il ne s'appelle pas, à l'état civil, André Malraux, son dossier est confondu avec celui de son frère Roland et il échappe à l'exécution. Délivré par la libération de Toulouse, il crée et commande la brigade Alsace-Lorraine qui libère Dannemarie et Sainte-Odile.

1945 : Il contribue à faire écarter la fusion du Mouvement de Libération Nationale avec le Front National (ce dernier étant dirigé en fait par le parti communiste). A la fin de l'année, Malraux devient ministre de l'Information, — pour quelques semaines ; il quitte le pouvoir en même temps que de Gaulle le 20 janvier 1946.

1946 : Malraux prononce à la Sorbonne une conférence qui a un grand retentissement : *l'Homme et la Culture artistique.*

1947 : De Gaulle fonde le Rassemblement du Peuple Français. Malraux est Délégué à la propagande. Le premier tome de *La Psychologie de l'Art* paraît à Genève.

1948 : Malraux prononce salle Pleyel un grand discours qu'il reprend dans la postface des *Conquérants.*

1949 : Il fonde la revue *La Liberté de l'Esprit.*

1950 : Malraux est assez gravement malade.

1951 : Malraux refuse d'être candidat R.P.F. aux élections.

1952 : Malraux annote le livre de Gaëtan Picon, *Malraux par lui-même.*

1955 : *La Condition humaine,* adaptée par Thierry Maulnier, est jouée au théâtre Hébertot.

1957 : Malraux publie *La Métamorphose des Dieux.*

1958 : Malraux, Martin du Gard, Mauriac et Sartre s'élèvent ensemble contre les tortures en Algérie.
De Gaulle revient au pouvoir. Malraux est nommé délégué à la présidence du Conseil, puis ministre de la Culture. Il soutiendra constamment la politique du général à l'égard de l'Algérie.

1961 : Coup de force à Alger des généraux Challe, Jouhaud, Zeller, puis Salan. Malraux appelle les Français à former des milices contre un débarquement éventuel des parachutistes.

1962 : Graves attentats de l'O.A.S. dirigés contre de Gaulle, Malraux et tous les artisans de la paix en Algérie. La petite Delphine Renard est blessée dans la maison où habite Malraux. Elle perd l'œil droit.

1965 : Malraux commence ses *Antimémoires,* rencontre à Pékin Mao Tsé-toung.

1966 : Il inaugure avec Senghor le Festival mondial des Arts nègres à Dakar.

1967 : Il publie le premier tome des *Antimémoires*.

1968 : Il prononce au Parc des Expositions un discours remarqué sur les révoltes étudiantes en France et dans le monde.

1969 : De Gaulle quitte le pouvoir. Malraux ne fait pas partie du nouveau gouvernement.
Malraux, Mauriac et Sartre demandent ensemble la libération de Régis Debray.

SÉLECTION BIBLIOGRAPHIQUE

Une bibliographie complète des livres, articles et interviews de Malraux lui-même, des livres et articles consacrés totalement ou partiellement à Malraux, demanderait à elle seule beaucoup plus d'un volume. On pourra consulter, pour avoir une idée rapide du contenu des textes les plus importants, notre *André Malraux* de la collection Bordas Connaissances (Paris, 1970), et, pour une étude approfondie : *Bibliographie de la Littérature française* : période 1800-1930 par Hugo Thieme, période 1930-1939 par S. Deher et M. Rolli, période 1940-1949 par Marguerite Devet (Droz, Paris et Genève) ; *Bibliographie des Auteurs modernes de Langue française,* tome 13, par H. Talvart et J. Place (Paris, Horizons de France, 1956) ; les volumes annuels de la *Bibliographie de la littérature française moderne* de René Rancœur (Paris, Armand Colin), ainsi que ceux de la *Bibliography of Critical and Biographical References* for the Study of Contemporary French Literature (Publications of Modern Language Association of America, P.M.L.A.).

I — Œuvres de Malraux (premières éditions).

Lunes en papier, Éd. de la Galerie Simon, 1921.

Les Hérissons apprivoisés, Journal d'un pompier du Jeu de Massacre, in *Signaux de France et de Belgique,* n° 4, 1er août 1921.

Écrit pour une idole à trompe, ronéotypé, 1921. (Deux extraits, *Divertissement* et *Triomphe,* en paraîtront dans *Accords,* n°s 3-4, oct.-nov. 1924.)

Articles de *L'Indochine* et de *L'Indochine enchaînée,* Saïgon, 1925.

La Tentation de l'Occident, Grasset, 1926.

Écrit pour un ours en peluche, in *900,* n° 4, 1927.

Le Voyage aux îles Fortunées, in *Commerce,* XII, 1927.

D'une jeunesse européenne, in *Écrits,* Grasset, 1927.

Les Conquérants, Grasset, 1928.

Royaume-Farfelu, Grasset, 1928.

Les Puissances du Désert, tome I, *La Voie royale,* Grasset, 1930.

La Condition humaine, Gallimard, 1933.

Le Temps du mépris, Gallimard, 1935.

L'Espoir, Gallimard, 1937.

Premiers extraits de *La Psychologie de l'Art,* in *Verve,* hiver 1937, printemps 1938, été 1938.

La Lutte avec l'Ange, tome I, *Les Noyers de l'Altenburg,* Éd. du Haut-Pays, Lausanne, 1943.

N'était-ce donc que cela? seul chapitre paru du *Démon de l'Absolu,* Éd. du Pavois, 1946.

Esquisse d'une Psychologie du Cinéma, Gallimard, 1946.

L'Homme et la Culture artistique, in *Conférences de l'Unesco,* nov.-déc. 1946.

La Psychologie de l'Art, tome I, Le *Musée imaginaire,* Skira, Genève, 1947.

Dessins de Goya au Musée du Prado, Skira, Genève, 1947.

La Psychologie de l'Art, tome II, La *Création artistique,* Skira, Genève, 1948.

La Psychologie de l'Art, tome III, *La Monnaie de l'Absolu,* Skira, Genève, 1949.

Saturne, essai sur Goya, Gallimard, 1950.

Les Voix du Silence, Gallimard, 1951. (Ce livre reprend les trois tomes de *La Psychologie de l'Art.*)

Le Musée imaginaire de la Sculpture Mondiale, tome I, Gallimard, 1952; tomes II et III, Gallimard, 1954.

La Métamorphose des Dieux, Gallimard, 1957.

Discours de Malraux, in *Renaissance 2000,* nº 5, oct. 1967.

Antimémoires, tome I, Gallimard, 1967.

II — Œuvres de Malraux actuellement disponibles en librairie.

La Voie royale (Grasset, Gallimard, Livre de Poche).

Les Conquérants (Grasset, Gallimard, Livre de Poche).

La Condition humaine (Gallimard, Livre de Poche).

L'Espoir (Gallimard, Livre de Poche).

Les Conquérants, La Condition humaine, L'Espoir (Collection de la Pléiade, Gallimard).

Scènes choisies (Gallimard).

La Tentation de l'Occident (Grasset).

Le Musée Imaginaire de la Sculpture mondiale, tomes II et III, Gallimard (le tome I est épuisé).

Le Musée imaginaire (Gallimard, collection Idées, Arts). C'est la première partie de *La Psychologie de l'Art* et des *Voix du Silence,* remaniée en 1963.

La Métamorphose des Dieux (Gallimard).

Tout Vermeer de Delft (textes de Malraux, Proust, Claudel, Gautier, Gillet).

Le Triangle noir : Laclos, Goya, Saint-Just (Gallimard).

Antimémoires, tome I (Gallimard).

Paraîtra sous peu, chez Gallimard, une nouvelle édition des *Œuvres,* illustrée par Chagall, Masson, Alexeïeff. Elle comprendra :

I. *Lunes en papier, La Tentation de l'Occident, Les Conquérants, Royaume-Farfelu.*

II. *La Voie royale, La Condition humaine.*

III. *L'Espoir.*

IV. *Antimémoires,* tome I.

III — Études, articles, jugements.

René ALBÉRÈS : Portrait de notre héros (Le Portulan, 1945).
La Révolte des écrivains d'aujourd'hui (Corrêa, 1949).
L'Aventure intellectuelle du xxᵉ siècle (La Nouvelle Édition, 1950).
André Malraux and the abridged abyss, in *Yale French Studies,* nº 18, 1957.

Marcel ARLAND : André Malraux, in *Accords,* mars-avril 1924.
« Le Temps du Mépris », in *La Nouvelle Revue Française,* juill. 1935.

Emmanuel d'ASTIER DE LA VIGERIE : Dialogue avec Malraux, in *L'Événement,* sept. 1967.

Alexandre ASTRUC : « Sierra de Teruel », in *Action,* 14 oct. 1944.

Ralph BATES : Une déclaration d'André Malraux, *The New Republic,* 16 oct. 1938.

André BAZIN : Du style au cinéma, in *Poésie 45,* nº 25.

Jean-Albert BÉDÉ : De Chateaubriand à André Malraux, in *Cahiers de l'Association Internationale des Études Françaises,* mai 1969.

Albert BÉGUIN : Point de vue, in *Esprit,* Interrogation à Malraux, oct. 1948.

Julien BENDA : participation à la discussion de l'*Union pour la Vérité* sur « Les Conquérants » 8 juin 1929.

Emmanuel BERL : Mort de la Pensée Bourgeoise, Grasset, 1929.
Participation à la discussion de *l'Union pour la Vérité* sur « Les Conquérants », 8 juin 1929.

Marc BERNARD : L'Œuvre de Malraux à travers la presse de l'entre-deux-guerres, in *Revue de l'Institut de sociologie Solvay,* 1963, nº 2.

Rachel BESPALOFF : Cheminements et Carrefours (Vrin, 1938).

Abbé BETHLÉEM : Sur un Prix Goncourt, in *La Croix,* 9 déc. 1933.

André BILLY : « La Condition Humaine » de Malraux, in *l'Œuvre,* 1er août 1933 ; « L'Espoir » de Malraux, in *l'Œuvre,* 2 janv. 1938.

André BLANCHET : La Religion d'André Malraux, in « La Littérature et le Spirituel », tome I (Aubier, 1959).

Maurice BLANCHOT : « La Part du feu » (Gallimard, 1949).

Jean BLANZAT : « Le Temps du mépris », de Malraux, in *Europe,* 15 juill. 1935.

Charles BLEND : The rewards of tragedy, in *Yale French Studies,* no 18, 1957.

Gerda BLUMENTHAL : André Malraux (Baltimore, 1960).

Denis BOAK : André Malraux (Oxford, 1968).

Claude BONNEFOY : Un écrivain sans lignée, in *Le Monde,* 27 sept. 1967.

Pierre DE BOISDEFFRE : Métamorphose de la littérature, tome I, Alsatia, 1950.
Une histoire vivante de la littérature d'aujourd'hui (Perrin, 1961).
André Malraux (Classiques du xxe siècle, Éd. Universitaires, sixième édition, 1963).
Interrogation à Malraux, in *La France Catholique,* 16 juin 1951.
Malraux et nous chrétiens, in *Ecclesia,* oct. 1952.
Le secret d'André Malraux, in *Les Cahiers du Nord,* févr. 1958.
André Malraux, in *Le Monde,* 18 juin 1958.

O. F. BOLLNOW : Das Problem des geschichtlichen Bewusstseins in André Malraux, *Die Nussbäume der Altenburg,* in *Romanistische Beiträge,* Mainz, 1950.

Étienne BORNE : participation à la discussion du Centre catholique des Intellectuels français à propos de l'adaptation théâtrale de *La Condition humaine* par Thierry Maulnier, in *Recherches et Débats* (Fayard, no 11, 1955).

François BOTT : Un regard d'esthète tourné vers l'Histoire, in *Le Monde,* 27 sept. 1967.
Le Triangle noir, de Malraux, in *Le Monde,* 23 mai 1970.

Camille BOURNIQUEL : « Les Voix du Silence », de Malraux, in *Esprit,* janv. 1951.

A. BOUTET DE MONVEL : « La Condition humaine », de Malraux (Larousse, 1955).

Blossom BOUTHAT : Nietzschean Motifs, in *La Tentation de l'Occident,* in *Yale French Studies,* no 18, 1957.

Robert BRASILLACH : articles sur les romans de Malraux et sur la participation à la guerre d'Espagne, in *Œuvres complètes,* tomes VII, XI et XII, Club de l'Honnête Homme, 1964.

André Breton : Pour André Malraux, in *Les Nouvelles littéraires,* 16 août 1924.

André et Jean Brincourt : Les Œuvres et les Lumières, Proust, Bergson, Malraux (La Table Ronde, 1955).

André Brincourt : André Malraux ou Le Temps du Silence (La Table Ronde, 1966).

J. J. Brochier : Les « Antimémoires », de Malraux, in *Magazine Littéraire,* nº 11, 1967.

Pierre Brodin : André Malraux, in « Présences contemporaines », tome I (Debresse, 1954).

Pierre Broué et Émile Temine : La Révolution et la Guerre d'Espagne, in *Édition de Minuit,* 1961.

Gabriel Brunet : « L'Espoir », de Malraux, in *Je suis partout,* 14 janvier 1938.

Léon Brunschvicg : participation à la discussion de *l'Union pour la Vérité* sur « Les Conquérants », 8 juin 1929.

Roger Caillois : « Les Noyers de l'Altenburg », de Malraux, in « Circonstancielles » (Gallimard, 1946).

Roland Caillois : André Malraux, in *Fontaine,* mars 1947.

Jean Catesson : Le Paradoxe de « L'Espoir », in *Les Cahiers du Sud,* nº 213, 1939.

Jean Cau : Le Pape est mort (La Table Ronde, 1968).

Louis Chaigne : André Malraux, in « Vies et Œuvres d'écrivains », tome 4, Lanore, 1954.

John Charpentier : « L'Espoir », de Malraux, in *Mercure de France,* mars 1938.

Haakon Chevalier : André Malraux, the legend and the man, in *Modern Language Quarterly,* tome XIV, 1953.

N. Chiaramonte : Malraux and the Demons of Action, in *Partisan Review,* tome XV, nᵒˢ 7 et 8, juill. et août 1948.

Maurice Clavel : Malraux, toujours Malraux, in *Le Nouvel Observateur,* 11 oct. 1967.

Thomas Cordle : « The Royal Way », in *Yale French Studies,* nº 18, 1957.

André Crépin : Sur le discours de M. Malraux à Amiens, in *Le Monde,* 30 mars 1966.

La Croix : Pour sauver l'homme, Éditorial anonyme, 20 déc. 1946.

R. P. Daniélou : participation à la discussion du Centre catholique des Intellectuels français à propos de l'adaptation théâtrale de *La Condition humaine* par Thierry Maulnier, in *Recherches et Débats* (Fayard, nº 11, 1955).

Graham Daniels : The Sense of the Past in the Novels of

Malraux, in *Studies in Modern Literature* presented to P. Mansell Jones, Manchester University Press, 1961.

J. DARZINS : Malraux and the Destruction of Aesthetics, in *Yale French Studies,* n° 18, 1957.

Pierre DEBRAY : Malraux, léniniste en chômage, in *Esprit,* oct. 1948.

Fanny DESCHAMPS : De la Française, de la culture, des hommes, entretien avec Malraux, in *Elle,* mars 1969.

Pierre DESGRAUPES : André Malraux et l'Aventure, in *Poésie 46,* n° 33.

Jeanne DELHOMME : Temps et Destin (Gallimard, 1955).

Jean-Marie DOMENACH : Barrès par lui-même (Seuil, 1954). Le retour du tragique (Seuil, 1967). La grande vie légendaire, in *Esprit,* nov. 1967.

Françoise DORENLOT : L'unité dans la pensée de Malraux (Dissertation Abstracts, vol. XXXI, n° 12, I).

René-Louis DOYON : Lettre à *l'Éclair,* 9 juin 1924.
Mémoire d'Homme (La Connaissance, 1953).

Pierre DRIEU LA ROCHELLE : Malraux, l'homme nouveau; Littérature de Front commun, et divers articles sur les romans de Malraux, in « Sur les écrivains » (Gallimard, 1964).

Henri DUMAZEAU : « La Condition Humaine » de Malraux (Profil d'une Œuvre, Hatier, 1970).

Georges DUTHUIT : Le Musée inimaginable (José Corti, 1956).

Ilya EHRENBOURG : Vus par un écrivain d'U.R.S.S. (Gallimard, 1934).

Léon ÉMERY : La ruée dans la nuit, in « Sept témoins ». (Les Cahiers libres, Lyon, 1950.)

Luc ESTANG : La Génération des joueurs, in *La Croix,* 25 nov. 1945.

ETIEMBLE : « La Métamorphose des Dieux », de Malraux, in « Hygiène des Lettres », tome III, Savoir et Goût (Gallimard, 1958).

Ramon FERNANDEZ : « La Tentation de l'Occident », de Malraux, in *La Nouvelle Revue française,* oct. 1926.

Brian T. FITCH : Le Monde des objets chez Malraux et Sartre, in *Bulletin des Jeunes Romanistes,* Strasbourg, juin 1960.
Les deux univers romanesques d'André Malraux (Minard, 1964). Le sentiment d'étrangeté chez Malraux, Sartre, S. de Beauvoir (Minard, 1964).

Janet FLANNER : Men and Monuments (Harpers and Bros, New York, 1957).

Bernard FRANCK : Un siècle débordé (Grasset, 1970).

W. M. FROHOCK : Malraux and the Tragic Imagination (Standford U. P., 1952).

« Le Temps du mépris » : a note on Malraux as man of letters, in *Romanic Review*, 1948.

Note for a Malraux Bibliography, in *Modern Language Notes*, 1950.

André Malraux, the intellectual as novelist, in *Yale French Studies*, n° 8, 1951.

Note on Malraux symbols, in *Romanic Review*, 1951.

Georges FRIEDMANN : « L'Espoir », de Malraux, in *L'Humanité*, 29 janv. 1938.

Georges GABORY : « Lunes en Papier », de Malraux, in *La Nouvelle Revue française*, févr. 1922.

Paul GADENNE : La Littérature devant le bourreau, in *Une Semaine dans le monde*, 18 juill. 1946.

Pol GAILLARD : André Malraux (Bordas Connaissances, 1970).

« L'Espoir », de Malraux (Profil d'une œuvre, Hatier, 1970).

Pierre GALANTE : André Malraux (Presses de la Cité, 1970).

Edward GANNON : The Honor of Being a Man (Loyola U. P. Chicago, 1957).

Roger GARAUDY : Une littérature de fossoyeurs ; le masque de Mort d'André Malraux (Éd. Sociales, 1947).

Serge GAULUPEAU : André Malraux et la mort (Minard, 1969).

André GIDE : L'aventure humaine, in *Terre des hommes*, 1er déc. 1945.

Journal, tomes I et II, *passim* (Gallimard, Pléiade).

Louis GILLET : Sur l'héroïsme, in *Les Nouvelles littéraires*, 8 janv. 1938.

René GIRARD : Le règne animal dans les romans de Malraux, in *French Review*, févr. 1953.

L'homme et le cosmos dans *L'Espoir* et *Les Noyers de l'Altenburg*, in Publications of Modern Langage Association, mars 1953.

Les réflexions sur l'art dans les romans de Malraux, in *Modern Language Notes*, 1953.

The role of eroticism in Malraux' fictions, in *Yale French Studies*, n° 11, 1953.

Man, Myth and Malraux, in *Yale French Studies*, n° 18, 1957.

Françoise GIROUD : La Métamorphose d'André Malraux, in *L'Express*, 21 nov. 1957.

Avriel GOLDBERGER : The heroic life according to André Malraux and earlier advocates of human grandeur, in « Visions of a new hero » (Lettres modernes, Paris, 1965).

Lucien GOLDMANN : Introduction à une étude structurale des romans de Malraux, in « Pour une sociologie du roman » (Gallimard, 1964).

L'individu, l'action et la mort dans *les Conquérants,* in *Mediations,* n° 6, 1963.

Julien GRACQ : Le Grand Paon et Pourquoi la Littérature respire mal, in *Préférences* (José Corti, 1960).

Graham GREENE : Lettre ouverte à Malraux, in *Le Monde,* 23 juin 1960.

Jean GRENIER : Lettre à André Malraux, in « Essai sur l'esprit d'orthodoxie » (Gallimard, 1938).

Jean GUÉHENNO : « La Condition humaine », de Malraux, in *Europe,* juin 1933.

A. HABARU : André Malraux parle de son œuvre, in *Monde* 18 oct. 1930.

Peter HAERTLING : « Die Eroberer », in *Die Welt,* 24 déc. 1964.

Bernard HALDA : Berenson et André Malraux (Minard, 1964).

Geoffroy HARTMAN : The taming of history, in *Yale French Studies,* n° 18, 1957.

Émile HENRIOT : André Malraux ou l'héroïsme individuel, in *Le Monde,* 28 août 1947.
De la création artistique, in *Le Monde,* 5 janv. 1949.

Micheline HERZ : Woman's fate, in *Yale French Studies,* n° 18, 1957.

Anne HEURGON-DESJARDINS : Paul Desjardins et les décades de Pontigny (P.U.F., 1964).

Joseph HOFFMANN : L'Humanisme de Malraux (Klincksieck, 1963).
Notes sur la technique romanesque de Malraux, in *Bulletin des Jeunes Romanistes,* déc. 1960.

Armand HOOG : Malraux, Möllberg and Frobenius, in *Yale French Studies,* n° 18, 1957.

Jean-Claude IBERT : André Malraux ou un humanisme consolateur, in *Courrier de Berne,* 17 août 1956.

Roger IKOR : Mise au net (Albin Michel, 1957).

Edmond JALOUX : Chroniques sur les Essais de Malraux, « Les Conquérants », « La Voie royale », « La Condition humaine », in *Les Nouvelles littéraires,* 30 avril 1927, 24 nov. 1928, 7 juill. 1931 et 16 déc. 1933.

Hans JESCHKE : Tragischer Humanismus als Lebensaspekt bei A. Malraux, in *Romanistisches Jahrbuch,* Hamburg, 4° Bd., 1952.

Pierre JUQUIN : Malraux et le Roman, in *L'Avenir Avant-Garde,* mars 1960.

D.-H. KAHNWEILER : Mes galeries et mes peintres (Gallimard, 1961).

Robert KEMP : « Les Conquérants », de Malraux; « La Voie Royale », de Malraux, in *Liberté,* 8 oct. 1928 et 20 oct. 1930.

Philippe LABRO : Rencontre avec André Malraux, in *Le Journal du Dimanche,* 14 juin 1970.

Jean LACOUTURE : Dix ans de règne sur la culture, in *Le Monde,* 6, 7, 8 juill. 1969.

René LALOU : Le roman français depuis 1900 (Presses Universitaires de France, 1947).
Articles sur « Le Temps du Mépris » et « L'Espoir », in *Les Nouvelles Littéraires,* 1er juin 1935 et 1er janv. 1938.

Walter LANGLOIS : André Malraux (Mercure de France, 1967).

Charles LAPICQUE : A propos des *Voix du Silence* (Centre de Documentation universitaire, 1955).

Paul LÉAUTAUD : Journal littéraire, tome VI (Mercure de France, 1959).

Victor LEDUC : Rationalisme et culture, in *Bulletin de l'Union rationaliste,* sept. 1968.

Richard LEAVITT : Music in the aesthetics of A. Malraux, in *French Review,* oct. 1956.

Bert LEEFMANS : Malraux and tragedy — the structure of « La Condition Humaine », in *Romanic Review,* 1953.

Roger LEENHARDT : André Malraux et le cinéma, in *Fontaine,* juill. 1945.

Jean LESCURE : « La Lutte avec l'Ange », in *Les Lettres françaises* clandestines, oct. 1943.
Pour une relecture des « Antimémoires », in *Bicolore,* sept. 1969.

Wyndham LEWIS : The writer and the absolute, London, Methuen, 1952.

Jacques MADAULE : « L'Espoir », de Malraux, in *L'Aube,* 25 janv. 1938 et *Esprit,* févr. 1938.

Claude-Edmonde MAGNY : Malraux le fascinateur, in *Esprit,* oct. 1948.

Clara MALRAUX : Portrait de Grisélidis (Grasset, 1945).
La Lutte inégale (Julliard, 1958).
Le Bruit de nos pas, 3 vol. (Grasset, 1966-1969).

Gabriel MARCEL : articles sur « Les Conquérants », « La Condition humaine », « Le Temps du mépris », « L'Espoir », in *Europe nouvelle,* 6 oct. 1928, 3 juin 1933, 8 juin 1935 et 5 févr. 1938.
Participation à la discussion de *l'Union pour la Vérité* sur « Les Conquérants », 8 juin 1929.
Participation à la discussion du Centre catholique des Intellectuels français à propos de l'adaptation théâtrale de « La Condi-

tion humaine » par Thierry Maulnier, in *Recherches et Débats,* (Fayard, n⁰ 11, 1955).

Denis MARION : « L'Espoir », de Malraux, in *Combat,* Bruxelles, 29 janv. 1938.
Espoir, film d'André Malraux, in *La Nef,* juin 1945.
Comment Malraux a réalisé « Espoir » (conférences de l'Université de Bâle, 1962).

Rufus MATHEWSON : Dostoïevski and Malraux, in *American Contributions to the fourth International Congress of Slavicists,* 1958.

Thierry MAULNIER : adaptation théâtrale de « La Condition humaine », in *L'Avant-Scène,* n⁰ 107, 1955; participation à la discussion du Centre Catholique des Intellectuels Français à propos de cette adaptation, in *Recherches et Débats* (Fayard, n⁰ 11, 1955).

Claude MAURIAC : Malraux ou le mal du héros (Grasset, 1946).
Hommes et Idées d'aujourd'hui (Albin Michel, 1952).
Il y a dix ans Malraux achevait « Espoir », in *Le Figaro littéraire,* 4 déc. 1948.

François MAURIAC : nombreux textes du « Journal » ou du « Bloc-Notes », repris dans les « Œuvres complètes » en cours de parution chez Fayard.

André MAUROIS : Le chef-d'œuvre d'André Malraux, sa vie d'action, in *La Tribune de Genève,* 31 janv. 1956.

Jean-Pierre MAXENCE : articles sur « La Condition humaine » et « Le Temps du mépris » dans *Gringoire,* 8 déc. 1933 et 25 mai 1935.

Maurice MERLEAU-PONTY : « Les Voix du Silence », de Malraux, et Malraux et Trotsky, in *Signes* (Gallimard, 1960).

Pierre MEUDON : L'étrange destinée d'André Malraux, in *La Tribune de Genève,* 9 juill. 1961.

Jeanne MODIGLIANI : S'il y avait une esthétique de l'impérialisme, in *La Nouvelle Critique,* déc. 1951.

Charles MOELLER : L'espoir des hommes, in « Littérature du xxᵉ siècle et christianisme », tome III (Casterman, 1957).

Jules MONNEROT : Sur André Malraux, in *Confluences,* avril 1946.

Henry de MONTHERLANT : carnets, 1930-1944 (Gallimard, 1957).

Paul MORAND : Papiers d'identité (Grasset, 1931).

Aloys MORAY : A la rencontre d'André Malraux (La Sixaine, 1947).

Paul MORELLE : La vraie vocation d'André Malraux, in *Volontés,* 5 déc. 1945.

Yvonne MOSER : L'essai de la constitution d'un monde dans l'œuvre de Malraux (Zurich, Sauerländer, Aarau, 1959).

Janine MOSSUZ : André Malraux et le gaullisme (Colin, 1970).

Emmanuel MOUNIER : Malraux ou l'impossible déchéance, in *Esprit,* oct. 1948; repris dans « L'Espoir des désespérés » (Seuil, 1953 et 1969).

Georges MOUNIN : Les Chemins de Malraux, in *Les Lettres françaises,* 7 juin 1946.

Gilbert MURY : Solitude de l'homme, in *Action,* 22 sept. 1944.

Maurice NADEAU : Lettre ouverte à Malraux, in *Les Lettres nouvelles,* 1er juill. 1959. « Les Mémoires d'outre-tombe d'André Malraux », in *La Quinzaine,* 15 sept. 1967.

Jawaharlal NEHRU : The Discovery of India (New York, The John Day, 1946).

Paul NIZAN : « Le Temps du mépris », de Malraux, in *Monde,* 5 juin 1935.

Ernst Erich NOTH : « Mémoires d'un Allemand » (Julliard 1970).

LE NOUVEL OBSERVATEUR ET DER SPIEGEL : André Malraux s'explique (mi-oct. 1968).

Jean ONIMUS : Malraux ou la Religion de l'Art, in *Études,* janv. 1954.

André PATRY : Visages d'André Malraux (Montréal, 1956).

Gaëtan PICON : André Malraux (Gallimard, 1945).
Malraux par lui-même, avec annotations de Malraux (Seuil, 1953).
A propos du « Temps du mépris », ou Un conflit de l'esthétique et de la morale, in *Les Cahiers du Sud,* mars 1936.
« La Lutte avec l'Ange », de Malraux, in *Les Cahiers du Sud,* juin 1944.
André Malraux, écrivain révolutionnaire, in *Confluences,* nov.1944.
Point de vue, in *Esprit,* interrogation à Malraux, oct. 1948.
Man's Hope, in *Yale French Studies,* n° 18, 1957.
André Malraux et « La Psychologie de l'Art », André Malraux et la « Métamorphose des Dieux », in « Usage de la Lecture », tome I, 1960 et tome II, 1961, Mercure de France.

Georges POMPIDOU : pages choisies d'André Malraux (Classiques Vaubourdolle, Hachette, 1955).

J. DE PONTCHARRA : André Malraux, in *Études,* mai et juin 1938.

G.-O. REES : Type of recurring similes in Malraux' novels, in *Modern Language Notes,* 1953.
Sound and Silence in Malraux' novels, in *French Review,* janv. 1959.

REVUE CATHOLIQUE DES IDÉES ET DES FAITS (article anonyme, févr. 1938).

William RIGHTER : The Rhetorical Hero. An essay on the aesthetics of André Malraux (London, Routledge and Kegan, 1964).

Ch.-F. Roedig : Malraux on the novel, in *Yale French Studies,* nº 18, 1957.
The early fascinations of Malraux, in *American Society of Legion of honor Magazine,* t. 29, 1958.

André Rousseaux : Ames et Visages du xxe siècle (Albin Michel, 1932).
« L'Espoir », d'André Malraux, in *Le Figaro,* 1er janv. 1938.
Point de vue, in *Esprit,* interrogation à Malraux, oct. 1948.
La révolution d'André Malraux, l'humanisme d'André Malraux, in « Littérature du xxe siècle », tomes III et IV (Albin Michel, 1949 et 1953).

Claude Roy : André Malraux et Tolstoï, in « Descriptions critiques », tome I (Gallimard, 1949).

Georges Sadoul : « Espoir », film d'André Malraux, in *Écrits de France,* 1946.

Monique Saint-Clair : Galerie privée (Gallimard, 1947).

André Salmon : Souvenirs sans fin, 3e époque (Gallimard, 1961).

Claude Santelli : Émission de télévision du 21 mars 1970 (O.R.T.F.).

Jean-Paul Sartre : Préface au « Portrait de l'Aventurier », de Roger Stéphane (Sagittaire, 1950).

Catherine Savage : Malraux, Sartre and Aragon as political novelists (University of Florida press, 1965).

Marcel Savane : André Malraux (Richard Masse, 1946).

Jean Schlumberger : Jalons (Montréal, 1941).

Julien Segnaire : Malraux et l'Escadrille España, in *Magazine littéraire,* nº 11, 1967.

Pierre-Henri Simon : André Malraux ou le défi à la mort, in « L'Homme en procès » (Payot 1950 et 1967).
André Malraux et le Sacré, in « Témoins de l'Homme » (Payot, 1962 et 1967).
« Antimémoires », de Malraux, in *Le Monde,* 27 sept. 1967.

Erwin Sinko : « L'Espoir », de Malraux, in *Europe,* 15 avril 1938.

Paul Souday : « Les Conquérants », de Malraux, in *Le Temps,* 6 déc. 1928.

Roger Stéphane : « Chaque homme est lié au monde », tome II (La Table Ronde, 1954).
Portrait de l'Aventurier (Sagittaire, 1950).

Dom Angelico Surchamp : A propos de la « Métamorphose des Dieux », in *Cahiers de l'Atelier du Cœur Meurtry,* Abbaye de la Pierre Qui Vire, avril 1962.

André Thérive : « La Voie royale », de Malraux, in *Le Temps,* 31 oct. 1930.

Sélection bibliographique

Hugh THOMAS : La guerre civile d'Espagne (Laffont, 1961).

H. TINT : Les Voix du Silence and the novels of Malraux, in *French Studies*, vol. II, 1957.

Robert DE TRAZ : « L'Espoir », de Malraux, in *Revue hebdomadaire*, 8 janv. 1938.

Léon TROTSKY : La Révolution étranglée, et De la Révolution étranglée et de ses étrangleurs, in « La Révolution permanente », (Gallimard, 1963).

Natalia Sedova TROTSKY : Lettre du 9 mars 1948 au *New York Times*.

André VANDEGANS : La Jeunesse littéraire d'André Malraux (Pauvert, 1964).
Paul Morand et André Malraux, in *Publications de l'Université d'État à Élisabethville*, n° 1, 1961.

Pol VANDROMME : « De la Mémoire de Malraux aux Antimémoires de l'anti Malraux », in *Revue générale Belge*, nov. 1967.

Pierre VIANSSON-PONTÉ : « Un misérable petit tas de secrets », in *Le Monde*, 27 sept. 1967.

Auguste VIATTE : L'évolution d'André Malraux, in *La Revue de L'Université Laval*, vol. III, n° 5, 1949.

J. VUILLEMIN : Le souffle dans l'argile, in *Les Temps Modernes*, mai 1950 et janv. 1951.

Bernard WILHELM : Hemingway et Malraux devant la guerre d'Espagne (Berne, 1966).

David WILKINSON : Malraux. An essay in political criticism (Cambridge, Harvard University Press, 1967).

TABLE DES MATIÈRES

ACHEVÉ D'IMPRIMER
PAR L'IMPRIMERIE FLOCH
A MAYENNE
LE 15 OCTOBRE 1970

Numéro d'éditeur : 1343.
Numéro d'imprimeur : 9749.
Dépôt légal : 4ᵉ trim. 1970.

Printed in France